Czesław
Miłosz

Koncepcja
i wybór
wierszy
Aleksander
Fiut

Original idea
and selection
of the poems
Aleksander
Fiut

Czesław Miłosz

Tak zwane widoki ziemi

Wybór wierszy

The so-called sights of the earth

Selected Poems

BOSZ *poezja/poetry*

Aleksander Fiut — Koncepcja, wybór wierszy i wstęp — Original idea, selection of poems, and Introduction

Władysław Pluta — Projekt graficzny — Graphic design

Agnieszka Kosińska — Współpraca — Cooperation

Joanna Kułakowska-Lis — Redakcja — Editor

Teresa Bałuk-Ulewiczowa — Tłumaczenie wstępu, podpisów i tekstów informacyjnych — English translation of Introduction, photo captions, and notes

Elżbieta Białoń — Korekta — Proof-reading

Studio Kolor, Rzeszów — Przygotowanie materiału fotograficznego — Prepress

Jakub Kinel, BOSZ — DTP — DTP

Fotografie / Photos

BE&W — s. 26, 30, 31, 36, 37, 42, 47, 57, 60, 61, 64, 65, 70, 74, 80, 92, 96, 97, 106, 110, 114, 120, 124, 138, 146, 147, 159, 162, 170, 178, 182, 196, 200, 201, 204 — pp. 26, 30, 31, 36, 37, 42, 47, 57, 60, 61, 64, 65, 70, 74, 80, 92, 96, 97, 106, 110, 114, 120, 124, 138, 146, 147, 159, 162, 170, 178, 182, 196, 200, 201, 204

Wojciech Buss — s. 49, 50, 84, 130, 142 — pp. 49, 50, 84, 130, 142
Ireneusz Dziugiel — s. 135, 208 — pp. 135, 208
Lithuanian Art Museum — s. 100, 101 — pp. 100, 101
Jacek Kałuszko — s. 88, 89, 192, 193 — pp. 88, 89, 192, 193
Paweł Krzan — s. 212 — p. 212

Archiwum Andrzeja Miłosza, dzięki uprzejmości Grażyny Strumiłło-Miłosz i Joanny Miłosz-Piekarskiej s. 175 — Andrzej Miłosz Archive. Courtesy of Grażyna Strumiłło-Miłosz and Joanna Miłosz-Piekarska p. 175

Joerg Modrow / laif / EK Pictures — s. 158 — p. 158
Janusz Monkiewicz — s. 186, 187 — pp. 186, 187
Zbigniew Panow — s. 18 — p. 18
Adam Sipowicz / AEP — s. 216 — p. 216
ZUMA Press / Forum — s. 154 — p. 154

OZGraf
Olsztyńskie Zakłady Graficzne S.A.

Wydrukowano w Polsce — Printed in Poland

ISBN 978-833-7576-122-1

Wydanie pierwsze — First edition

BOSZ

Wydawnictwo BOSZ
Olszanica, Polska, 2011

BOSZ Publishing House
Olszanica, Polska, 2011

Biuro:
38-600 Lesko, ul. Przemysłowa 14
tel. +48 (13) 4699000
faks +48 (13) 4696188
biuro@bosz.com.pl
www.bosz.com.pl

Office:
38-600 Lesko, ul. Przemysłowa 14
tel. +48 (13) 4699000
fax +48 (13) 4696188
office@bosz.com.pl
www.bosz.com.pl

2011

Rok
Czesława
Miłosza

The
Milosz
Year

Spis treści

Contents

Wstęp

Wiersze Czesława Miłosza dają się czytać – poza wszystkim – jako swego rodzaju poetyckie itinerarium, zapis olśnień, wrażeń i refleksji wywoływanych w poecie przez rozmaite miejsca jego dłuższego lub krótszego pobytu. Niektóre z tych miejsc, oznaczających kolejne etapy wędrówek wygnańca, który z rodzinnej Litwy zawędrował aż za ocean, by pod koniec życia powrócić do ojczyzny i ostatnie lata spędzić w dawnej stolicy Polski, brzmią znajomo: Wilno, Warszawa, Paryż, Berkeley, Kraków. Inne, jak Szetejnie, miejsce urodzenia Noblisty, zdążyły stać się częścią potocznej wiedzy. Ale w utworach Miłosza występują także nazwy zwykle niebudzące w pamięci czytelnika wizualnych skojarzeń: Pornic, Mittelbergheim, Salem, Campo dei Fiori, rue Descartes, Pierson College, Rogue River. Jak łatwo zauważyć, uwagę poety przyciągają – w rozmaitych miejscach globu – nie tylko nazwy miast, miasteczek, placów, ulic, a nawet pojedynczych budynków, ale także imiona rzek, gór i dolin. Niektóre z tych nazw znajdują się w tytułach utworów, dowodząc, że umiejscowienie tekstu jest dla autora sprawą pierwszorzędnej wagi. Inne zostają skomentowane przez obszerne i nader dokładne opisy. Ale są wśród nich również i takie, które zostały jak gdyby mimochodem wplecione w wersy, budząc swoim obcym brzmieniem zaciekawienie i niepokój. Dążenie do ukonkretnienia nie jest oczywiście w tej poezji czymś nowym. Pozostaje w zgodzie ze skłonnością autora, by co w ludzkiej percepcji ulotne, zmienne, migotliwe, choć na moment zatrzymać w ruchu, najdokładniej, jak to możliwe, opisać. Nazwy stają się zatem jakby wehikułami, dzięki którym możliwe są wędrówki w czasoprzestrzeni. Pozwalają nie tylko z reporterską wręcz dokładnością relacjonować aktualne doznania, ale także swobodnie przenosić się w przeszłość, wywoływać z pamięci indywidualnej i z pamięci ludzkiego gatunku światy unicestwione, a zatem – tym bardziej domagające się utrwalenia w słowie. Nie jest więc zaskoczeniem, że z amerykańskiej Doliny Śmierci Miłosz jednym wzlotem wyobraźni i pamięci potrafi przenieść się do Wilna lat Mickiewicza, a następnie do Wilna z okresu własnej młodości, by drobiazgowo opisać już nieistniejącą ulicę Niemiecką, część dzielnicy żydowskiej, w znacznym stopniu wyburzonej przez hitlerowców podczas ostatniej wojny. Ale wspomni także Tuzigoot w Arizonie, obecnie już niezamieszkałą wioskę indiańską sprzed siedmiu stuleci.

Wielość, rozmaitość i rozproszenie w ogromnej przestrzeni konkretnych miejsc świadczą wymownie o niemającej precedensu mobilności człowieka XX wieku – Miłosz był już bez wątpienia obywatelem

Introduction

The poems of Czesław Miłosz may be read (in addition to all the other ways) as a poetic itinerary, a record of his insights, impressions and reflections evoked by the places where he spent some time. Some of these places —milestones on the successive stages on the journey traversed by the exile who left his native Lithuania to venture beyond the Atlantic and then, towards the end of his life, return home and spend his last years in Kraków – some sound familiar: Wilno / Vilnius, Warsaw, Paris, Berkeley, Kraków. Others, like his birthplace Szetejnie (now Šeteniai), have turned into more or less household words. Others still, like Pornic, Mittelbergheim, Salem, Campo dei Fiori, rue Descartes, Pierson College, or Rogue River, normally do not conjure up any special associations in readers' memories. It's easy to notice that the place-names (in different parts of the world) that draw this poet's attention are not only the names of towns and cities, streets and squares, even individual buildings, but also rivers, mountains and valleys. Some of them appear in the titles of his works, showing that situating a text was a matter of paramount importance for Miłosz. Other places are endowed with extensive, highly detailed commentaries. But there are also some as if inadvertently incorporated in his poems, arousing curiosity and apprehension with their strange-sounding names.

Of course the inclination to specify is nothing new in the poetry of Miłosz, in full accord with his tendency to catch and for a moment hold all that to human perception is fleeting and changeable, gone in a flash, and to describe it as accurately as possible. So names turn into vehicles enabling travel in time and space. Not only do they permit him to record his current experiences with well-nigh a reporter's precision, but also freely to move back into the past, and from his own and the collective memory of mankind recover worlds that have been wiped out – worlds which all the more call for perpetuation in words. So it's not surprising that in one sweep of memory and imagination Miłosz can transfer from California's Death Valley to the Wilno of Mickiewicz, and then to the city of his own youth and give an infinitely detailed account of ulica Niemiecka, a no longer existing street in the Jewish quarter, much of it demolished by the Nazis during the War. But he'll also mention the Indian village of Tuzigoot, Arizona, inhabited seven hundred years ago, now derelict.

The multiplicity, diversity and dispersion of these places over a vast expanse are a trenchant testimonial to the unprecedented mobility of 20th-century Man – Miłosz was undeniably a citizen of the global

globalnej wioski. Dzięki opisom zawartym w jego wierszach czytelnik może zatem stopniowo zapełniać rozmaite białe plamy na swojej wyobrażonej mapie świata. Ale może także pokusić się o to, by skonfrontować swoje widzenie z widzeniem poety. Wędrować jego śladami nie tylko na kartach utworów, ale także w przestrzeni realnej, a nawet utrwalać odwiedzane miejsca w fotografii. Wyrazem takiej właśnie pokusy stał się niniejszy album. Stanowi on próbę uplastycznienia i przybliżenia niektórych miejsc opisywanych lub wspomnianych przez Miłosza w jego poezji. Staje się zarazem swego rodzaju dialogiem „chwil zobaczenia" – poety i fotografa. Warto dodać, że fotografia była sztuką bliską Czesławowi Miłoszowi, poświęcił jej nawet kilka wierszy. Cenił ją nade wszystko za to, że utrwala, co nietrwałe, ocala, co inaczej uległoby zapomnieniu, unieruchamia strugę czasu. Oczywiście niniejszy album jest jedynie wyborem niektórych ważnych dla poety miejsc, dalekim od ich wyczerpania. Ale i te stanowią, jak sądzę, wymowny plastyczny komentarz do poezji Miłosza, który, wciąż „nienasycony" zmysłowymi doznaniami, z pokorą pisał, że nieodmiennie olśniewają go „tak zwane widoki ziemi". Dlaczego „tak zwane"? Ponieważ urodzie, bogactwu, wielorakości i zmienności istnienia nie potrafi sprostać ani pióro najbardziej genialnego poety, ani obiektyw nawet najlepszego fotografa. Pozostaje jedynie tworzyć szkice i zarysy pojedynczych zjawisk, zaś samo podjęcie wysiłku ich utrwalenia – z góry skazanego na przegraną – musi wystarczyć za usprawiedliwienie.

Aleksander Fiut

Aleksander Fiut, ur. 1945, badacz literatury, krytyk literacki, eseista, prof. zw. UJ. Jeden z członków-założycieli Fundacji Miejsc Rodzinnych Czesława Miłosza, członek rady programowej The Institute of Czesław Miłosz (USA). Jest autorem m.in. książek: *Moment wieczny. Poezja Czesława Miłosza* (1987, 1993, 1998); *Pytanie o tożsamość* 1995; *Być (albo nie być) Środkowoeuropejczykiem* 1999; *W stronę Miłosza* 2003; *Spotkania z Innym* 2005; *Autoportret przekorny. Rozmowy z Czesławem Miłoszem* 1988, 1994. Jego wywiady i szkice ukazały się w przekładzie na wiele języków.

village. Thanks to the descriptions in his poems readers may gradually fill in the blanks on the world map in their imagination. But they may also try to confront their view with the poet's vision. To follow him not only through the pages of his works, but also in real space, and even to perpetuate in photographs the places he visited. This album is an expression of such an urge: an attempt to turn some of the places Miłosz described or mentioned in his poetry into material entities, a sort of dialogue of "moments of seeing" – by the poet and the photographer. Photography was an art for which Miłosz had a special appreciation. He devoted several poems to it. What he most admired in it was its ability to catch the transient, to save what would otherwise fall into oblivion, to make time stand still. Of course this album presents only a selection of some of the poet's important places, far from the full set. But I think even this selection makes up a visual commentary to the poems of Miłosz, who was never "sated" of sensual experiences and wrote in all humility that he was invariably fascinated by the "so-called sights of the earth." Why "so-called"? Because neither pen, even if held by the most brilliant of poets, nor camera focused by the best photographer can do justice to the innate beauty, lavishness, multiplicity, and variability of existence. All one can do is take down sketches and outlines of particular phenomena, and the very endeavour to immortalise them, though doomed to failure, must do for vindication.

Aleksander Fiut

Aleksander Fiut, born 1945, literary researcher and critic, essayist, Jagiellonian University professor. One of the founding members of the Czesław Miłosz Birthplace Foundation; member of the Program Council of the Czesław Miłosz Institute (USA). Author of several books including *The Eternal Moment. The Poetry of Czesław Miłosz*, Berkeley, 1990; and *Conversations with Czesław Miłosz*, San Diego, 1987 (jointly edited with Ewa Czarnecka).

Tak
zwane
widoki
ziemi

The so-called
sights
of the
earth

Motto

Tak zwane widoki ziemi. Ale mało ich.
Wyruszyłeś i nie jesteś nasycony.
Wiosenne tańce trwają, a nie ma tancerza.
Naprawdę może ciebie tam nigdy nie było.
Duch czysty i wzgardliwie obojętny
Chciałeś widzieć, smakować, doznać i nic więcej.
Dla żadnych ludzkich celów. Ty byłeś przechodzień,
Który używa rąk i nóg, i oczu
Jak astrofizyk świetlistych ekranów,
Świadomy, że co pozna, już dawno minęło.

Gdzie wschodzi słońce i kędy zapada
Fragment poematu

Motto

The so-called sights of the earth. But not many.
You started on a journey and are not sated.
Spring dances go on but there is no dancer.
In truth, perhaps you never took part in all that.
A spirit pure and scornfully indifferent,
You wanted to see, to taste, to feel, and nothing more.
For no human purpose. You were a passerby
Who makes use of hands and legs and eyes
As an astrophysicist uses shiny screens,
Aware that what he perceives has long since perished.
"Tender and faithful animals." How is one to live with them
If they run and strive, while those things are no more?

From the Rising of the Sun
Passage from the poem

1 2 3 4

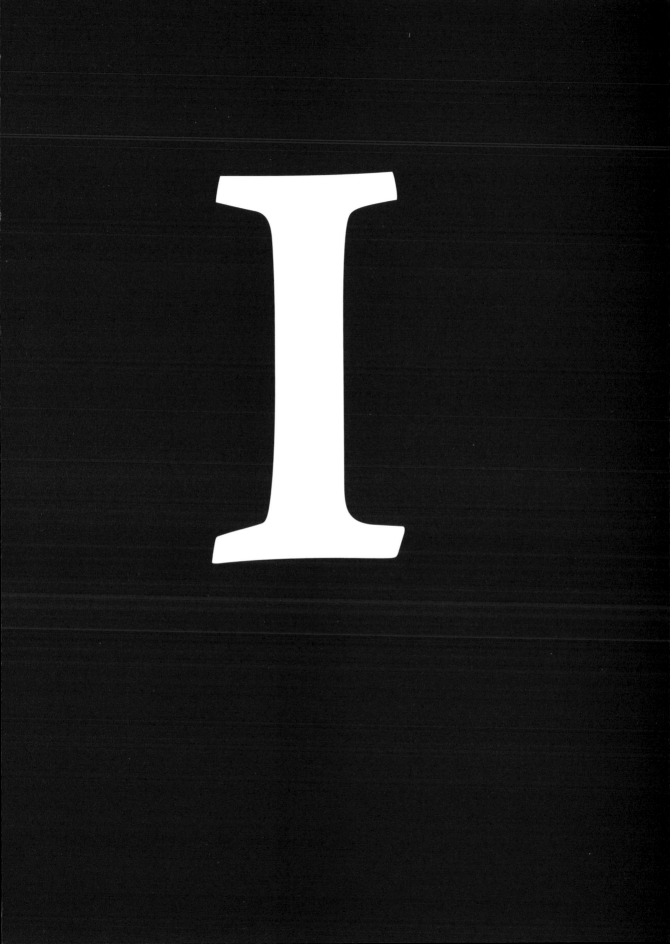

Campo di Fiori

W Rzymie na Campo di Fiori
Kosze oliwek i cytryn,
Bruk opryskany winem
I odłamkami kwiatów.
Różowe owoce morza
Sypią na stoły przekupnie,
Naręcza ciemnych winogron
Padają na puch brzoskwini.

Tu, na tym właśnie placu
Spalono Giordana Bruna,
Kat płomień stosu zażegnął
W kole ciekawej gawiedzi.
A ledwo płomień przygasnął,
Znów pełne były tawerny,
Kosze oliwek i cytryn
Nieśli przekupnie na głowach.

Wspomniałem Campo di Fiori
W Warszawie przy karuzeli,
W pogodny wieczór wiosenny,
Przy dźwiękach skocznej muzyki.
Salwy za murem getta
Głuszyła skoczna melodia
I wzlatywały pary
Wysoko w pogodne niebo.

Czasem wiatr z domów płonących
Przynosił czarne latawce,
Łapali skrawki w powietrzu
Jadący na karuzeli.
Rozwiewał suknie dziewczynom
Ten wiatr od domów płonących,
Śmiały się tłumy wesołe
W czas pięknej warszawskiej niedzieli.

Campo dei Fiori

In Rome on the Campo dei Fiori
baskets of olives and lemons,
cobbles spattered with wine
and the wreckage of flowers.
Vendors cover the trestles
with rose-pink fish;
armfuls of dark grapes
heaped on peach-down.

On this same square
they burned Giordano Bruno.
Henchmen kindled the pyre
close-pressed by the mob.
Before the flames had died
the taverns were full again,
baskets of olives and lemons
again on the vendors' shoulders.

I thought of the Campo dei Fiori
in Warsaw by the sky-carousel
one clear spring evening
to the strains of a carnival tune.
The bright melody drowned
the salvos from the ghetto wall,
and couples were flying
high in the cloudless sky.

At times wind from the burning
would drift dark kites along
and riders on the carousel
caught petals in midair.
That same hot wind
blew open the skirts of the girls
and the crowds were laughing
on that beautiful Warsaw Sunday.

Morał ktoś może wyczyta,
Że lud warszawski czy rzymski
Handluje, bawi się, kocha
Mijając męczeńskie stosy.
Inny ktoś morał wyczyta
O rzeczy ludzkich mijaniu,
O zapomnieniu, co rośnie,
Nim jeszcze płomień przygasnął.

Ja jednak wtedy myślałem
O samotności ginących.
O tym, że kiedy Giordano
Wstępował na rusztowanie,
Nie znalazł w ludzkim języku
Ani jednego wyrazu,
Aby nim ludzkość pożegnać,
Tę ludzkość, która zostaje.

Już biegli wychylać wino,
Sprzedawać białe rozgwiazdy,
Kosze oliwek i cytryn
Nieśli w wesołym gwarze.
I był już od nich odległy,
Jakby minęły wieki,
A oni chwilę czekali
Na jego odlot w pożarze.

I ci ginący, samotni,
Już zapomniani od świata,
Język nasz stał się im obcy
Jak język dawnej planety.
Aż wszystko będzie legendą
I wtedy po wielu latach
Na nowym Campo di Fiori
Bunt wznieci słowo poety.

Warszawa – Wielkanoc, 1943

Someone will read as moral
that the people of Rome or Warsaw
haggle, laugh, make love
as they pass by martyrs' pyres.
Someone else will read
of the passing of things human,
of the oblivion
born before the flames have died.

But that day I thought only
of the loneliness of the dying,
of how, when Giordano
climbed to his burning
he could not find
in any human tongue
words for mankind,
mankind who live on.

Already they were back at their wine
or peddled their white starfish,
baskets of olives and lemons
they had shouldered to the fair,
and he already distanced
as if centuries had passed
while they paused just a moment
for his flying in the fire.

Those dying here, the lonely
forgotten by the world,
our tongue becomes for them
the language of an ancient planet.
Until, when all is legend
and many years have passed,
on a new Campo dei Fiori
rage will kindle at a poet's word.

Warsaw, 1943

Rzym, targ na
Campo dei Fiori,
zdjęcie współczesne

Rome, the Campo dei
Fiori street-market.
Contemporary view

Biedny chrześcijanin patrzy na getto

Pszczoły obudowują czerwoną wątrobę,
Mrówki obudowują czarną kość,
Rozpoczyna się rozdzieranie, deptanie jedwabi,
Rozpoczyna się tłuczenie szkła, drzewa, miedzi, niklu, srebra, pian
Gipsowych, blach, strun, trąbek, liści, kul, kryształów –
Pyk! Fosforyczny ogień z żółtych ścian
Pochłania ludzkie i zwierzęce włosie.

Pszczoły obudowują plaster płuc,
Mrówki obudowują białą kość,
Rozdzierany jest papier, kauczuk, płótno, skóra, len,
Włókna, materie, celuloza, włos, wężowa łuska, druty,
Wali się w ogniu dach, ściana i żar ogarnia fundament.
Jest już tylko piaszczysta, zdeptana, z jednym drzewem bez liści
Ziemia.

Powoli, drążąc tunel, posuwa się strażnik-kret
Z małą czerwoną latarką przypiętą na czole.
Dotyka ciał pogrzebanych, liczy, przedziera się dalej,
Rozróżnia ludzki popiół po tęczującym oparze,
Popiół każdego człowieka po innej barwie tęczy.
Pszczoły obudowują czerwony ślad,
Mrówki obudowują miejsce po moim ciele.

Boję się, tak się boję strażnika-kreta.
Jego powieka obrzmiała jak u patriarchy,
Który siadywał dużo w blasku świec
Czytając wielką księgę gatunku.

Cóż powiem mu, ja, Żyd Nowego Testamentu,
Czekający od dwóch tysięcy lat na powrót Jezusa?
Moje rozbite ciało wyda mnie jego spojrzeniu
I policzy mnie między pomocników śmierci:
Nieobrzezanych.

A Poor Christian Looks at the Ghetto

Bees build around red liver,
Ants build around black bone.
It has begun: the tearing, the trampling on silks,
It has begun: the breaking of glass, wood, copper, nickel, silver, foam
Of gypsum, iron sheets, violin strings, trumpets, leaves, balls, crystals.
Poof! Phosphorescent fire from yellow walls
Engulfs animal and human hair.

Bees build around the honey comb of lungs,
Ants build around white bone.
Torn is paper, rubber, linen, leather, flax,
Fiber, fabrics, cellulose, snakeskin, wire.
The roof and the wall collapse in flame and heat seizes the
foundations.
Now there is only the earth, sandy, trodden down,
With one leafless tree.

Slowly, boring a tunnel, a guardian mole makes his way,
With a small red lamp fastened to his forehead.
He touches buried bodies, counts them, pushes on,
He distinguishes human ashes by their luminous vapor,
The ashes of each man by a different part of the spectrum.
Bees build around a red trace.
Ants build around the place left by my body.

I am afraid, so afraid of the guardian mole.
He has swollen eyelids, like a Patriarch
Who has sat much in the light of candles
Reading the great book of the species.

What will I tell him, I, a Jew of the New Testament,
Waiting two thousand years for the second coming of Jesus?
My broken body will deliver me to his sight
And he will count me among the helpers of death:
The uncircumcised.

Warsaw, 1943

Płonie warszawskie
getto

The Warsaw
Ghetto ablaze

Likwidacja getta
warszawskiego

Destruction of the
Warsaw Ghetto

W Warszawie

Co czynisz na gruzach katedry
Świętego Jana, poeto,
W ten ciepły, wiosenny dzień?

Co myślisz tutaj, gdzie wiatr
Od Wisły wiejąc rozwiewa
Czerwony pył rumowiska?

Przysięgałeś, że nigdy nie będziesz
Płaczką żałobną.
Przysięgałeś, że nigdy nie dotkniesz
Ran wielkich swego narodu,
Aby nie zmienić ich w świętość,
Przeklętą świętość, co ściga
Przez dalsze wieki potomnych.

Ale ten płacz Antygony,
Co szuka swojego brata,
To jest zaiste nad miarę
Wytrzymałości. A serce
To kamień, w którym jak owad
Zamknięta jest ciemna miłość
Najnieszczęśliwszej ziemi.

Nie chciałem kochać tak,
Nie było to moim zamiarem.
Nie chciałem litować się tak,
Nie było to moim zamiarem.
Moje pióro jest lżejsze
Niż pióro kolibra. To brzemię
Nie jest na moje siły.
Jakże mam mieszkać w tym kraju,
Gdzie noga potrąca o kości
Niepogrzebane najbliższych?

In Warsaw

What are you doing here, poet, on the ruins
Of St. Johns Cathedral this sunny
Day in spring?

What are you thinking here, where the wind
Blowing from the Vistula scatters
The red dust of the rubble?

You swore never to be
A ritual mourner.
You swore never to touch
The deep wounds of your nation
So you would not make them holy
With the accursed holiness that pursues
Descendants for many centuries.

But the lament of Antigone
Searching for her brother
Is indeed beyond the power
Of endurance. And the heart
Is a stone in which is enclosed,
Like an insect, the dark love
Of a most unhappy land.

I did not want to love so.
That was not my design.
I did not want to pity so.
That was not my design.
My pen is lighter
Than a hummingbird's feather. This burden
Is too much for it to bear.
How can I live in this country
Where the foot knocks against
The unburied bones of kin?

Słyszę głosy, widzę uśmiechy. Nie mogę
Nic napisać, bo pięcioro rąk
Chwyta mi moje pióro
I każe pisać ich dzieje,
Dzieje ich życia i śmierci.
Czyż na to jestem stworzony,
By zostać płaczką żałobną?
Ja chcę opiewać festyny,
Radosne gaje, do których
Wprowadzał mnie Szekspir. Zostawcie
Poetom chwilę radości,
Bo zginie wasz świat.

Szaleństwo tak żyć bez uśmiechu
I dwa powtarzać wyrazy
Zwrócone do was, umarli,
Do was, których udziałem
Miało być wesele
Czynów myśli i ciała,
Pieśni, uczt.
Dwa ocalone wyrazy:
Prawda i sprawiedliwość.

Kraków, 1945

I hear voices, see smiles. I cannot
Write anything; five hands
Seize my pen and order me to write
The story of their lives and deaths.
Was I born to become
a ritual mourner?
I want to sing of festivities,
The greenwood into which Shakespeare
Often took me. Leave
To poets a moment of happiness,
Otherwise your world will perish.

It's madness to live without joy
And to repeat to the dead
Whose part was to be gladness
Of action in thought and in the flesh, singing, feasts
Only the two salvaged words:
Truth and justice.

Warsaw, 1945

Warszawa w ruinie,
1945 rok

Warsaw in ruins,
1945

Gruzy
stolicy

Ruins of the Polish
capital

1 2 3 4

Podróż

W różowych palcach magnolii,
W puchu pięknego maja,
W skokach z gałązki na gałązkę
Ptaka czystej barwy, kardynała,
Między piersią łagodnych rzek
Leży to miasto,
W które wjeżdżam z bukietem sztywnych róż
Na kolanach, jak walet kier,
Krzycząc ze szczęścia wiosny
I z krótkości życia.

Zapach w nozdrza, pieśń,
Fioletowe naręcza
Otrząsane z wody czarną ręką,
Tunele neonu,
Znów zieleń i pieśń,
Mosty nad państwami ptasich gniazd,
Szklane oczy niedźwiadków
Z rubinu.

Popołudniowe wąsy,
Kolczaste warkoczyki Murzynek,
Szklanki z cieniem
Przy ustach malowanych w serce,
Manekiny z udami w jedwabiu,
Nieustannie czesane cmentarze,
Pociskiem rakietowym oddalają się w stronę nocy,
W rozpryskującą się noc,
Tralala
Tralali
W niepamięć.

Washington D.C., 1948

The Journey

In pink fingers of magnolia,
In the downy softness of May,
In the leap from branch to branch
Of a bird, pure-colored, a cardinal,
Between breasts of calm rivers
Lies this city
Into which I ride with a bouquet of stiff roses
On my knees, like the jack of hearts,
Shouting for joy of spring
And the shortness of life.

Waves of scent, a song,
Wet armfuls of purple flowers
Shaken off by a black hand,
Tunnels of neon lights,
The green, and a song again,
Bridges over the birds' realms,
Streetlights—teddy bears' eyes
Made of rubies.

Afternoon whiskers,
Thorny braids of black girls,
Cool drinks, shadowy glasses
At lips painted in the shape of a heart,
Mannequins with thighs in silk,
Constantly combed cemeteries
Recede into night, rocket-like,
Into a bursting night
Tralala
Tralali
Into oblivion.

Washington, D.C., 1948

Waszyngton, widok
na miasto i rzekę
Potomak

Washington D.C.,
view of the city and
Potomac River

W Mediolanie

I
Jakże daleko te moje i nie moje lata,
Kiedy o Italii pisało się wiersze,
Opowiadając wieczory pod Sieną
Albo cykady w sycylijskich ruinach.

Długo w noc chodziliśmy po Piazza del Duomo.
On: że jestem zanadto upolityczniony.
Odpowiedziałem na to tak mniej więcej:

— Jeżeli w bucie mamy gwóźdź, to co?
Czy kochamy ten gwóźdź? Tak samo ze mną.
Jestem po stronie księżyca między winnicami,
Kiedy wysoko widać śnieg na Alpach.
Jestem po stronie cyprysów o świtaniu
I niebieskiego powietrza w dolinach.
Pieśń bym ułożyć nawet dzisiaj mógł
O smaku brzoskwiń, o wrześniu w Europie.
Nikt nie oskarży mnie o brak radości
Ani że nie zauważam przechodzących dziewcząt.
Nie ukrywam, że wszystkie kwiaty, jakie są,
Chciałbym zjeść i zjeść, jakie są, kolory.
Czterdzieści lat pochłaniam ten świat nadaremnie,
A wystarczyłoby tego na tysiąc.
Tak, być poetą pięciu zmysłów chciałbym,
Dlatego sobie zabraniam nim zostać.
Tak, myśl mniej waży niż słowo cytryna,
Dlatego nie sięgam w słowach po owoce.
Z mojego języka tłumaczę: „Kto nie dotknął ziemi ni razu…",
Tak napisano dawno. Nie każdy sens rozumie.

In Milan

How far off are those years, mine and not mine,
When one wrote poems on Italy
Telling about evenings in the fields of Siena
Or about cicadas in Sicilian ruins.

Long into the night we were walking on the Piazza del Duomo.
He: That I was too politicized.
And I answered him more or less as follows:

If you have a nail in your shoe, what then?
Do you love that nail? Same with me.
I am for the moon amid the vineyards
When you see high up the snow on the Alps.
I am for the cypresses at dawn
And for the bluish air in the valleys.
I could compose, right now, a song
On the taste of peaches, on September in Europe.
No one can accuse me of being without joy
Or of not noticing girls who pass by.
I do not deny that I would like to gobble up
All existing flowers, to eat all the colors.
I have been devouring this world in vain
For forty years, a thousand would not be enough.
Yes, I would like to be a poet of the five senses,
That's why I don't allow myself to become one.
Yes, thought has less weight than the word *lemon*
That's why in my words I do not reach for fruit.

Brie-Comte-Robert, 1955

II
Zwiedzanie fabryki jest jak zwiedzanie więzienia,
Przewodnicy są dumni z łagodności kary.
Szkło i aluminium w zakładach Olivetti,
Żłobki, mieszkania, tło alpejskich gór.
Ze mną Hindus i Murzyn z tatuowaną twarzą
I mała Amerykanka notująca w bloku.

Święci latający jaskółką po złocie,
Zamku, gdzie rosła księżniczka Bona Sforza
Wydana za króla barbarzyńskich krajów,
Złomie marmuru ze śladem ludzkiej ręki,
Nie wy mnie jesteście potrzebne w podróży
Albo raczej włączacie się
W substancję, której przeniknąć nie umiem,
Gdzie pochylenie głowy za szybą traktierni,
Ruch ręki dźwigającej kosz na targu
Trwają, zmienione w rzeczy.

W tej hali maszyn widziałem ich oczy,
Stulecie za stuleciem mijało w hali maszyn.
Oto jest produkt najbardziej wykończony na ziemi,
Z umysłem, który świeci przez skórę jak słońce.

Nie o to, ile mają lirów dziennie,
Ile kosztuje chleb, mięso i wino.
Nie o to, czy dzieci jadą na kolonie.
Nie jestem socjaldemokratą.

Palce, które mieszały płowe barwy Sieny,
Oczy odgadujące myśl drugiego człowieka.
Królewska ludzka wysokość zamknięta na osiem godzin.
I film z pocałunkiem, kulą pistoletu.

Potem długo śni się brodata twarz Leonarda
Z Muzeum Techniki w Mediolanie.

Mediolan, główny
plac miasta i fasada
katedry

Milan, the city's
main piazza and
cathedral façade

III

Spacerowaliśmy, gdzie szemrzą fontanny
I kolorowe kamienie błyszczą na dnie wody.
Było prawie szczęściem wiedzieć wtedy,
Że rozbijam, jak lustro wody,
Obraz miły samego siebie.

Brie-Comte-Robert, 1955

Uliczka w Brie-
-Comte-Robert

A street in Brie-
-Comte-Robert

Zaułek w Brie-
-Comte-Robert

Street corner in
Brie-Comte-Robert

Mittelbergheim

Stanisławowi Vincenzowi

Wino śpi w beczkach z dębu nadreńskiego.
Budzi mnie dzwon kościołka między winnicami
Mittelbergheim. Słyszę małe źródło
Pluszczące w cembrowinę na podwórzu, stuk
Drewniaków na ulicy. Tytoń schnący
Pod okapem i pługi, i koła drewniane,
I zbocza gór, i jesień przy mnie są.

Oczy mam jeszcze zamknięte. Nie goń mnie
Ogniu, potęgo, siło, bo za wcześnie.
Przeżyłem wiele lat i jak w tym śnie
Czułem, że sięgam ruchomej granicy,
Za którą spełnia się barwa i dźwięk
I połączone są rzeczy tej ziemi.
Ust mi przemocą jeszcze nie otwieraj,
Pozwól mi ufać, wierzyć, że dosięgnę,
Daj mi przystanąć w Mittelbergheim.

Ja wiem, że powinienem. Przy mnie są
Jesień i koła drewniane, i liście
Tytoniu pod okapem. Tu i wszędzie
Jest moja ziemia, gdziekolwiek się zwrócę
I w jakimkolwiek usłyszę języku
Piosenkę dziecka, rozmowę kochanków.
Bardziej od innych szczęśliwy, mam wziąć
Spojrzenie, uśmiech, gwiazdę, jedwab zgięty
Na linii kolan. Pogodny, patrzący,
Mam iść górami w miękkim blasku dnia
Nad wody, miasta, drogi, obyczaje.

Mittelbergheim

Wine sleeps in casks of Rhine oak.
I am wakened by the bell of a chapel in the vineyards
Of Mittelbergheim. I hear a small spring
Trickling into a well in the yard, a clatter
Of sabots in the street. Tabacco drying
Under the eaves, and ploughs and wooden wheels.
And mountain slopes and autumn are with me.

I keep my eyes closed. Do not rush me,
You, fire, power, might, for it is too early.
I have lived through many years and, as in the half-dream
I felt I was attaining the moving frontier
Beyond which color and sound come true
And the things of this earth are united.
Do not yet force me open my lips.
Let me trust and believe I will attain.
Let me linger here in Mittelbergheim.

I know I should. They are with me,
Autumn and wooden wheels and tabacco hung
Under the eaves. Here and everywhere
Is my homeland, wherever I turn
And in whatever language I would hear
The song of a child, the conversation of lovers.
Happier than anyone, I am to receive
A glance, a smile, a star, silk creased
At the knee. Serene, beholding,
I am to walk on hills in the soft glow of day
Over waters, cities, roads, human customs.

Ogniu, potęgo, siło, ty, co mnie
Trzymasz we wnętrzu dłoni, której bruzdy
Są jak wąwozy olbrzymie, czesane
Wiatrem południa. Ty, co dajesz pewność
W godzinie lęku, tygodniu zwątpienia,
Za wcześnie jeszcze, niech wino dojrzewa,
Niechaj podróżni śpią w Mittelbergheim.

Mittelbergheim, Alzacja, 1951

Fire, power, might, you who hold me
In the palm of your hand whose furrows
Are like immense gorges combed
By southern wind. You who grant certainty
In the hour of fear, in the week of doubt,
It is too early, let the wine mature,
Let the travelers sleep in Mittelbergheim.

Alsace, 1951

Winnice
w Mittelbergheim

The vineyards of
Mittelbergheim

Zamek Sinobrodego

Z poematu Kroniki miasta Pornic

Zamek na skale słonej od przyboju
Zbudowano w dziesiątym wieku. Masztów każdej łodzi
Zmierzającej do portu w czas przypływu
Dosięgnąć można strzałem z kuszy,
Odpływ pokazuje cienką linię raf.
Gilles de Laval natomiast, baron de Retz,
Był, myślę, chuliganem albo teddy-boy albo Halbstarke.
Ojciec jego zginął na polowaniu w 1415 roku,
Bo kordelas nie trafił w mocne serce dzika.
I Gilles miał być może zbyt wiele swobody,
Choć nauczono go czytać i mówić po łacinie
Oraz podziwiać sztuki wyzwolone.
W złym towarzystwie nadwornych Falstaffów
Szczenię było postrachem tutejszych okolic.
Miał lat szesnaście kiedy poślubił Katarzynę de Thouars
I jeden z pierwszych wyruszył pomagać Joannie d'Arc.
Nieustraszony, prawe ramię Joanny,
On to podtrzymał ją ranną w bitwie pod Tournelles.
Ale później, dwudziestosześcioletni Marszałek Francji,
Nudził się, więc opłacał poetów i aktorów
Oraz „pogwałcił wszelkie prawa boskie i ludzkie", jak powiada kronika,
Tu, w zamku Pornic, oddając się rozpuście.
Wyrokiem sądów świeckich i duchownych skazany w Nantes.
Kat go udusił ale ciało nie spadło w płomień,
Bo sześć kobiet w welonach podjęło je aby złożyć w poświęconej ziemi.
Mówią, że arcybiskup, książę i rodzina
Zabili go, chciwi majętności.

Bluebeard's Castle

From the poem *Chronicles of the Town of Pornic*

The castle on the rock briny from surf
Was built in the tenth century. The arrow of a crossbow
Could reach the mast of any ship entering the port at high tide.
The ebb uncovers a thin line of reefs.
As for Gilles de Laval, Baron de Retz,
He was, I think, a hooligan or a teddy boy or a *Halbstarke*.
His father perished when hunting in the year 1415
Because his cutlass missed the tough heart of a boar.
And perhaps Gilles was given too much freedom
Though they taught him how to read and write in Latin
As well as how to appreciate the liberal arts.
In the bad company of his courtly Falstaffs
This pup was the terror of the region.
He was sixteen when he married Catherine de Thouars.
And he was one of the first to come to the aid of Jeanne d'Arc.
Fearless, the right hand of Jeanne,
It was he who supported her, wounded, at the battle of Tournelles.
He grew bored, so he paid poets and actors
And "violated all divine and human rights," says the Chronicle,
Leading a life of debauchery, here, in the castle of Pornic.
He was condemned in Nantes by lay and ecclesiastical courts.
The executioner strangled him but his body did not fall into the flames
Because six women gathered it up to bury it in consecrated ground.
They say that his family, the archbishop, and the prince
Put him to death out of greed for his land.

Zamek
Sinobrodego
w Pornic

Bluebeard's
Castle
in Pornic

Nabrzeże w Pornic   The coast at Pornic

Madonna Ocalenia

Z poematu *Kroniki miasta Pornic*

Były srogie zimy, kiedy wymarzało wino.
Wilki w ciemności biegły ulicami.
Były wieczory, kiedy nadaremnie
Kobiety wkładały najpiękniejsze stroje
I zbierały się na skale, zaklinając ptaki.
Ptak widzi w dole morze ciemne, ciemne.
Rudy żagiel wleczony w bruździe fali
Wydaje mu się algą, twarz tonących
Nie dla niego jest twarzą mężów i kochanków.
Ale wiek za wiekiem otwierała ręce
W granitowej kaplicy Madonna Ocalenia.
Zaiste, ocean czyni z nas to, czym jesteśmy naprawdę:
Dziećmi udającymi przez chwilę mądrość kapitanów,
I ludzkość jest wtedy kochaną rodziną,
A tysiąclecie liczy się za dzień jeden.
Matko, uratuj mnie, grzeszne moje życie,
Wróć mnie na piękną ziemię, jeszcze daj mi czas.
Matko, nie zasłużyłem, ale zacznę na nowo,
Ty nie żyłaś daleko, bo jesteś koło mnie.
I w kapturach ociekających wodą, boso, ze spuszczoną głową,
Myśląc: dlaczego ocaliła mnie,
Szli złożyć na jej ołtarz ślubowaną świecę.
Potem pili, wrzeszczeli, kobiety poczynały.
Jej uśmiech znaczył, że podług jej woli.

Our Lady of Recovery
From the poem *Chronicles of the Town of Pornic*

Once there were harsh winters when frost destroyed the vineyards.
Wolves roamed the streets in the darkness.
There were evenings when women arrayed in their finest
Would gather in vain on a cliff to cast spells on the birds.
What the bird sees below is the dark, dark sea.
A rust-colored sail dragged in the furrow of a wave
Looks like algae, the faces of the drowning
Are not those of husbands and lovers.
But century after century Our Lady of Recovery
Extended her arms in a granite chapel.
Indeed, the ocean shows us what we really are:
Children who for a moment feign the wisdom of captains
And humanity is then a beloved family
And a thousand years are counted as one day.
O Holy Mother, save me, my life is so sinful.
Return me to the dear earth, allow me another day.
O Holy Mother, I am not deserving but I will begin anew,
You didn't live far away because You are near me.
And in their dripping hoods, barefoot, with bowed heads
Thinking: why was it me that she saved?
They went to light the promised candle at her altar.
Later they drank, grew boisterous, their women conceived.
Her smile meant that it was all according to her will.

Pornic–Montgeron, 1960

Uliczka w Pornic,
zdjęcie archiwalne

A street in Pornic.
Archival photograph

Port w Pornic,
zdjęcie archiwalne

The port at Pornic.
Archival photograph

I 2 3 4

Dużo śpię

Dużo śpię i czytam Tomasza z Akwinu
albo „Śmierć Boga" (takie protestanckie dzieło).
Na prawo zatoka jak odlana z cyny,
za tą zatoką miasto, za miastem ocean,
za oceanem ocean, aż do Japonii.
Na lewo suche pagórki z białą trawą,
za pagórkami nawodniona dolina, gdzie uprawia się ryż,
za doliną góry i sosny ponderosa,
za górami pustynia i owce.
Kiedy nie mogłem bez alkoholu, jechałem na alkoholu.
Kiedy nie mogłem bez papierosów i kawy, jechałem na papierosach i kawie.
Byłem odważny. Pracowity. Prawie wzór cnoty.
Ale to nie przydaje się na nic.

Panie doktorze, boli mnie.
Nie tu. Nie, nie tu. Sam już nie wiem.
Może to nadmiar wysp i kontynentów,
niepowiedzianych słów, bazarów i drewnianych fletów
albo picia do lustra, bez urody,
choć miało się być czymś w rodzaju archanioła
albo świętego Jerzego na Świętojerskim Prospekcie.

Panie znachorze, boli mnie.
Zawsze wierzyłem w gusła i zabobony.
Naturalnie, że kobiety mają tylko jedną, katolicką, duszę,
ale my mamy dwie. Kiedy zatańczysz,
we śnie odwiedzasz odległe pueblos
i nawet ziemie nigdy nie widziane.

Włóż, proszę ciebie, amulety z piór,
poratować trzeba swojego.
Ja czytałem dużo książek, ale im nie wierzę.
Kiedy boli, powracamy nad jakieś rzeki,
pamiętam tamte krzyże ze znakami słońca i księżyca
i czarowników, jak pracowali, kiedy była epidemia tyfusu.
Wyślij swoją drugą duszę za góry, za czas.
Powiedz, będę czekać, co widziałeś.

Berkeley, 1962

I Sleep a Lot

I sleep a lot and read St. Thomas Aquinas
or *The Death of God* (that's a Protestant book).
To the right the bay as if molten tin,
beyond the bay, city, beyond the city, ocean,
beyond the ocean, ocean, till Japan.
To the left dry hills with white grass,
beyond the hills an irrigated valley where rice is grown,
beyond the valley, mountains and Ponderosa pines,
beyond the mountains, desert and sheep.

When I couldn't do without alcohol, I drove myself on alcohol,
When I couldn't do without cigarettes and coffee, I drove myself
on cigarettes and coffee.
I was courageous. Industrious. Nearly a model of virtue.
But that is good for nothing.

Please, Doctor, I feel a pain.
Not here. No, not here. Even I don't know.
Maybe it's too many islands and continents,
unpronounced words, bazaars, wooden flutes,
or too much drinking to the mirror, without beauty,
though one was to be a kind of archangel
or a Saint George, over there, on St. George Street.

Please, Medicine Man, I feel a pain.
I always believed in spells and incantations.
Sure, women have only one, Catholic, soul,
but we have two. When you start to dance
you visit remote pueblos in your sleep
and even lands you have never seen.
Put on, I beg you, charms made of feathers,
now it's time to help one of your own.
I have read many books but I don't believe them.
When it hurts we return to the banks of certain rivers.
I remember those crosses with chiseled suns and moons
and wizards, how they worked during an outbreak of typhus.
Send your second soul beyond the mountains, beyond time.
Tell me what you saw, I will wait.

Berkeley, 1962

Zatoka San Francisco   San Francisco Bay

[W Dolinie Śmierci...]

Z poematu *Miasto bez imienia*

2.

W Dolinie Śmierci myślałem o sposobach upinania włosów.
O ręce która przesuwała reflektory na studenckim balu
w mieście, skąd żaden głos już nie dosięga.
Minerały na sąd nie trąbiły.
Osypywało się z szelestem ziarnko lawy.

W Dolinie Śmierci błyszczy sól na dnie suchego jeziora.
Broń się, broń się, mówi tykot krwi.
Z litej skały nadaremnej żadna mądrość.

W Dolinie Śmierci na niebie ni orła, ani jastrzębia.
Wróżby Cyganki zostały spełnione.
W zaułku pod arkadami czytałem wtedy poemat
o kimś, kto mieszkał tuż obok, pod tytułem *Godzina myśli*.

Długo patrzyłem w lusterko, tam jeden na trzysta mil
szedł człowiek: Indianin prowadzący rower pod górę.

[In Death Valley I thought…]

From the poem *City without a Name*

2
In Death Valley I thought about styles of hairdo,
About a hand that shifted spotlights at the Student's Ball
In the city from which no voice could reach me.
Minerals did not sound the last trumnpet.
There was only the rustle of a loosened grain of lava.

In Death Valley salt gleams from a dried-up lake bed.
Defend, defend yourself, says the tick-tock of the blood.
From the futility of solid rock, no wisdom.

In Death Valley no hawk or eagle against the sky.
The prediction of a Gypsy woman has come true.
In a lane under an arcade, then, I was reading a poem
Of someone who had lived next door, entitled *An Hour of Thought*.

I looked long at the rearview mirror: there, the one man
Within three miles, an Indian, was walking a bicycle uphill.

Krajobraz
Doliny Śmierci

Death Valley
landscape

[Czemu już tylko…]

Z poematu Miasto bez imienia

12.

Czemu już tylko mnie powierza się to miasto bezbronne i czyste
jak naszyjnik weselny zapomnianego plemienia?

Jak niebieskie i rude ziarna nizane w Tuzigoot na miedzianym
pustkowiu przed siedmioma wiekami.

Gdzie roztarta na kamieniu ochra dotychczas wyczekuje na
policzek i czoło, ale dawno nie ma tam żadnego.

Czym zasłużyłem, jakim złem we mnie, jaką litością, na to
ofiarowanie?

Stoi przede mną, gotowe, nie brak ani jednego dymu z komina,
ani jednego echa, kiedy przestępuję dzielące nas rzeki.

Może Anna i Dorcia Drużyno wezwały mnie z trzechsetnej mili
Arizony, bo nikt prócz mnie już nie wie, że raz kiedyś żyły?

I drepczą przede mną Nadbrzeżną, dwie papużki, szlachcianki ze
Żmudzi, dla mnie rozplatając w nocy siwy kok starych panien?

Tutaj nie ma wcześniej i nie ma później, wszystkie pory dnia
i roku trwają równocześnie.

O świcie długimi rzędami jadą gównowozy i magistraccy na
rogatkach w skórzane torby zbierają kopytkowe.

Hałasując kołami, „Kurier" i „Śmigły" idą pod prąd do Werek,
a wioślarz strącony nad Anglią mknie rozpięty na swoim skifie.

U Piotra i Pawła anioły opuszczają grube powieki w uśmiechu
nad zakonnicą, która ma myśli nieskromne.

Brodata, w peruce, siedzi przy kasie, pouczając dwanaście
swoich sprzedawczyń, pani Sora Kłok.

A cała ulica Niemiecka podrzuca nad ladą taśmy bławatnych
towarów, przygotowując się na śmierć i zdobycie Jeruzalem.

[Why should that…]

From the poem *City without a Name*

12

Why should that city, defenseless and pure as the wedding necklace of a forgotten tribe, keep offering itself to me?

Like blue and red-brown seeds beaded in Tuzigoot in the copper desert seven centuries ago.

Where ocher rubbed into stone still waits for the brow and cheekbone it would adorn, though for all that time there has been no one.

What evil in me, what pity has made me deserve this offering?

It stands before me, ready, not even the smoke from one chimney is lacking, not one echo, when I step across the rivers that separate us.

Perhaps Anna and Dora Drużyno have called to me, three hundred miles inside Arizona, because except for me no one else knows that they ever lived.

They trot before me on Embankment Street, two gently born parakeets from Samogitia, and at night they unravel for me their spinster tresses of gray hair.

Here there is no earlier and no later; the seasons of the year and of the day are simultaneous.

At dawn shit-wagons leave town in long rows and municipal employees at the gate collect the turnpike toll in leather bags.

Rattling their wheels, "Courier" and "Speedy" move against the current to Werki, and an oarsman shot down over England skiffs past, spread-eagled by his oars.

At St. Peter and Paul's the angels lower their thick eyelids in a smile over a nun who has indecent thoughts.

Bearded, in a wig, Mrs. Sora Klok sits at the counter, instructing her twelve shopgirls.

And all of German Street tosses into the air unfurled bolts of fabric, preparing itself for death and the conquest of Jerusalem.

Czarne książęce źródła stukają w podziemia katedry pod
grobowcem Kaźmierza młodzianka i głowniami dębowych
palenisk.

Z książką do nabożeństwa i koszykiem służącej Barbara
żałobnica wraca na Baksztę do domu Romerów z litewskiej
mszy u Świętego Mikołaja.

O, jak błyszczy! To śnieg na Górze Trzykrzyskiej i na Bekieszowej
Górze, którego nie stopi oddech krótkotrwałych ludzi.

Z jakąż to wielką wiedzą skręcam w Arsenalską i raz jeszcze
otwieram oczy na daremny koniec świata?

Przez pokoje z szelestem jedwabi, jeden, drugi, dziesiąty,
biegłem nie zatrzymany, bo wierzyłem w ostatnie drzwi.

Ale wykrój ust i jabłko, i kwiat przypięty do sukni było
wszystkim, co poznać i wziąć było dano.

Ani czuła ani zła, ni piękna ni przeraźliwa, trwała ziemia,
niewinna, dla pożądania i bólu.

Na nic ten poranek, jeżeli pod ogniami dalekich noclegów
nie mniej było w tamtym goryczy, a więcej.

Jeżeli nie mogę tak wyczerpać mego i ich żywota, żeby
w harmonię zmienił się dawny płacz.

Jak urodzony Jan Dęboróg w antykwarni Straszuna położony
tam jestem na zawsze między swojskie imię i imię.

Maleje baszta zamku nad kopcem listowia i jeszcze ledwo
słyszalna, może to Requiem Mozarta, muzyka.

W nieruchomym świetle poruszam ustami, rad może nawet,
że nie składa się żądane słowo.

Berkeley, 1965

Black and princely, an underground river knocks at cellars of the cathedral under the tomb of St. Casimir the Young and under the half-charred oak logs in the hearth.

Carrying her servant's-basket on her shoulder, Barbara, dressed in mourning, returns from the Lithuanian Mass at St. Nicholas to the Romers' house on Bakszta Street.

How it glitters! the snow on Three Crosses Hill and Bekiesz Hill, not to be melted by the breath of these brief lives.

And what do I know now, when I turn into Arsenal Street and open my eyes once more on a useless end of the world?

I was running, as the silks rustled, through room after room without stopping, for I believed in the existence of a last door.

But the shape of lips and an apple and a flower pinned to a dress were all that one was permitted to know and take away.

The Earth, neither compassionate nor evil, neither beautiful nor atrocious, persisted, innocent, open to pain and desire.

And the gift was useless, if, later on, in the flarings of distant nights, there was not less bitterness but more.

If I cannot so exhaust my life and their life that the bygone crying is transformed, at last, into a harmony.

Like a *Noble Jan Dędoróg* in the Straszun's secondhand-book shop, I am put to rest forever between two familiar names.

The castle tower above the leafy tumulus grows small and there is still a hardly audible—is it Mozart's *Requiem?*—music.

In the immobile light I move my lips and perhaps I am even glad not to find the desired word.

Berkeley, 1968

Wilno, ulica
Niemiecka, zdjęcie
archiwalne

Archival photo of ulica
Niemiecka, Wilno
(prewar Vilnius)

Biel

O białe, białe, białe. Białe miasto, którym niosą chleb i warzywa
kobiety urodzone pod znakami wracających moich zodiaków.

Paszcze w zielonym słońcu bluzgają wodą jak w dni dalekich
zaślubin, marszów o chłodzie aurory z krańca na kraniec.

Klamry od szkolnych pasków gdziekolwiek w gęstej ziemi,
sznurem ożyn przepasane bunkry i sarkofagi.

Objawienia dotyku od początku, nie przyjęta żadna wiedza
i żadna pamięć.

Chwiejny przechodzień, idę przez targ uliczny po utracie mowy.

Świeczniki w namiotach zdobywców zalał wosk, opuścił mnie
gniew i na języku mam cierpkość zimowej renety.

Dwie Cyganki wstające z popiołu biją w bębenek i tańczą dla
nieśmiertelnych ludzi.

Echa, gołębie w zamieszkanym albo pustym, nikt nie troszczy
się, niebie.

Wielki mój lament, bo myślałem, że może trwać rozpacz i że
może trwać miłość.

W białym mieście, które nie żąda, nie zna, nie nazywa, a było
i będzie.

Paryż, 1966

Whiteness

O white, white, white. White city where women carry bread and
  vegetables, women born under the signs of the ever-gyrating
  zodiacs.
The jaws of fountains spout water in the green sun as in the days past
  of nuptials, of strolls in the cold aurora from one outskirt to
  another.
Buckles from schoolboys' belts somewhere in the dense earth, bunkers
  and sarcophagi bound with blackberry ropes.
Revelations of touch, again and again new beginnings, no knowledge,
  no memory ever accepted.
A faltering passerby, I walk through a street market after the loss of
  speech.
The candlesticks in the conquerors' tents overflow with wax, anger has
  left me and on my tongue the sourness of winter apples.
Two Gypsy women rising from the ashes beat a little drum and dance
  for immortal men.
In a sky inhabited or empty (no one cares) just pigeons and echoes.
Loud is my lament, for I believed despair could last and love could
  last.
In the white city which does not demand, does not know, does not
  name, but which was and which will be.

Paris, 1966

Paryska kawiarnia					A Parisian café

[Tam urodziłem się...]

Z poematu Gdzie wschodzi słońce i kędy zapada

Tam urodziłem się, a byłem z panów
Lepszych niż Lauda albo Wędziagoła.
Chrzest otrzymałem, wyrzekłem się diabła
W parafii Opitołoki, kiejdańskiego powiatu.

Bić muchy i rozmyślać, moje zawołanie.
Czy kazać Jurkszysowi zaprzęgać faeton
I rzemiennym dyszlem na girelskie lasy
Jechać krewnych odwiedzić, Sylwestrowiczów,
A też Dowgirdów, albo i Dowgiełłów.

W miarę szczęśliwym być. Nasza wieś spokojna.
Choć niebogata, mało kto jeździ karetą.
Nadto już ekspensowna, trzeba czwórki koni,
Tak i zawsze u nas w wozowni stała.

Zapolować na ponowie. Pierwsza gwiazdka blisko.
Otupałem buty w sieni, wchodzę z chłodu.
Stół do kutii nakryty, śliżyki i syta.
Już wie, jak mnie dogodzić, droga Jadwisia.

Gdyby nie posłano mnie do nauk w Wilnie,
Co by to pomogło? Nic a nic.
I tak nie złożono by mnie w Świętobrości,
W Šventybrastis, u Świętego Brodu,
Gdzie pochowani są moi przodkowie
I gdzie małego chłopca dziwił koński zwyczaj,
Żeby zatrzymywać się pić w środku rzeki.

Zupełnie jakbym w otchłań rzucił kamień
Z mostu Golden Gate, tam skąd samobójca
Leci jak w swoich snach, mniejszy od mewy.
Jakbym obudził się raz po południu
I zobaczył na sobie złoty haft u fraka.

Pisane było, tajnym pismem genów.
Albo diabeł znad Niewiaży, niedochrzczony,
Ze mną szlachcicem grał w szachy, plenipotent
Bliżej nieznanych tellurycznych mocy.

[I was Born There...]

From the poem *From the Rising of the Sun*

I was born there and came from the noble class.
We were better than the yeomen of Lauda or Wędziagoła.
I was baptized, I renounced the Devil
In the parish of Opitołoki, district of Kiejdany.

My calling is to swat flies and meditate,
Or to order Jurkszys to prepare the phaeton
So I can go gadding through Girele Forest
To pay my respects to my kinsmen, the Silvestrowiczes.
Also the Dowgirds or the Dowgiełłos.

To be moderately happy. Our country is quiet,
Though not very rich. Few people use a coach.
It costs too much, it takes four horses,
So it always sits there in the carriage house.

To hunt after first snow. The first star will appear soon,
I stamped snow off my boots in the entrance hall,
The table is set for Christmas Eve and the cakes are soaked in honey,
My dear Jadwiga knows just how to please me.

If I hadn't been sent off to school in Wilno,
What would have been gained? Nothing.
I wouldn't anyway have been put to rest in Świętobrość
In Šventybrastis, at the Holy Ford,
Where my ancestors are buried
And where the little boy was always startled by the horses' habit
Of stopping for a drink in midstream.

Now I feel as if I had flung a stone
From the Golden Gate Bridge, from which a suicide
Flies as in his dream, smaller than a gull.
As if I woke from an afternoon nap
And found myself in a smock of gold brocade.

It was written in the secret code of the genes.
Or I, a nobleman, played chess on the banks of the Niewiaża
With a devil insufficiently baptized, a plenipotentiary
Of telluric powers not well known.

Kościół
w Świętobrości,
gdzie został
ochrzczony
Czesław Miłosz

Świętobrość
Church.
Czesław Miłosz
was baptised here,
not at Opitołoki

Grób Kunatów,
dziadków poety,
na cmentarzu
w Świętobrości

Grave of the Kunats,
the poet's grandparents,
in Świętobrość (now
Šventybrastis) cemetery

Alpejska gwiazda spadająca,
Alpine Shootingstar (Dodecatheon alpinum)

Z poematu *Gdzie wschodzi słońce i kędy zapada*

Rośnie w górskich lasach nad Rogue River.
Która to rzeka, w południowym Oregonie,
Ze względu na jej skaliste, trudno dostępne brzegi
Jest rzeką rybaków i myśliwych. Czarny niedźwiedź i kuguar
Dotychczas dość obfity na tamtejszych stokach.
Roślinę tak nazwano, bo różowoliliowe kwiaty
Zwracają ostrze ku ziemi, ukośnie, pod wiązką płatków,
Co razem przypomina gwiazdę z ilustracji
Dziewiętnastego wieku, wlokącą cienki snop linii.
Rzece nazwę nadali francuscy traperzy,
Kiedy któryś z nich trafił w indiańskie zasadzki.
Odtąd była to dla nich La Rivière des Coquins,
Rzeka Hultajska, skąd Rogue w tłumaczeniu.

Siedziałem nad jej nurtem głośnym i pienistym,
Ciskając kamyki i myśląc, że jakie miał imię
Ten kwiat w języku Indian, nie będzie wiadome,
Jak nie będzie wiadome imię, rodzinne, ich rzeki.
W każdej rzeczy powinno być zawarte słowo.
Ale nie jest. I cóż tu moje powołanie.

Alpine Shootingstar (Dodecatheon alpinum)

From the poem *From the Rising of the Sun*

The Alpine shooting star, *Dodecatheon alpinum*,
Grows in the mountain woods over Rogue River,
Which river, in southern Oregon,
Owing to its rocky, hardly accessible banks,
Is a river of fishermen and hunters. The black bear and the cougar
Are still relatively common on these slopes.
The plant was so named for its pink-purple flowers
Whose slanting tips point to the ground from under the petals,
And resembles a star from nineteenth-century illustrations
That falls, pulling along a thin sheaf of lines.
The name was given to the river by French trappers
When one of them stumbled into an Indian ambush.
From that time on they called it La Rivière des Coquins,
The River of Scoundrels, or Rogue, in translation.

I sat by its loud and foamy current
Tossing in pebbles and thinking that the name
Of that flower in the Indian language will never be known,
No more than the native name of their river.
A word should be contained in every single thing
But it is not. So what then of my vocation?

Wodospady
na Rogue River
w stanie Oregon

Waterfalls on
Rogue River,
Oregon

[Pewnie dlatego…]

Z poematu *Gdzie wschodzi słońce i kędy zapada*

Pewnie dlatego pielgrzymowałem.
Którędy, odgadną ci, którzy na przykład,
Zwiedziwszy groty koło Les Eyzies,
Stając na popas być może w Sarlat
(Jak mój biedniaszka Alik nazywał, *priwał*),
Jechali stamtąd drogą na Souillac,
Gdzie płaskorzeźba w romańskim portalu
Opowiada przygody mnicha Teofila
Z Adany w Cylicji, a prorok Izajasz
Osiem stuleci trwa w gwałtownym ruchu,
Jakby targał strunami niewidocznej harfy.
I dalej, w kręte kotliny, aż pojawi się
Wysoko, wysoko, ten klejnot pątników,
Tak upragniony jak w chłopięctwie naszym
Gniazdo na szczycie jodły: Roc Amadour.
A zresztą nie nalegam. Trakt do Composteli
Albo do Jasnej Góry nie gorzej pouczy.

Dążenie i mijanie. Tutaj głaz omszały
Biegnie i wyraźnieje za każdym zakrętem,
Po czym znika w oddali. Tam znów błyśnie rzeka
Spoza drzew i łuk mostu. Niemniej pamiętajmy,
Nie zatrzyma nas widok ani zimorodek
Zszywający dwa brzegi jasną włóczką lotu,
Ani na wieży panna, choć uśmiechem wabi
I oczy nam zawiąże, prowadząc w pokoje.
Cierpliwy byłem pielgrzym. Więc miesiąc i rok
Na kiju karbowałem, bo do celu zbliża.

Tylko że kiedy wreszcie po latach doszedłem,
Zdarzyło się, co, myślę, znane niejednemu,
Jeżeli na parkingu przy Roc Amadour
Znalazł miejsce i stopnie do górnej kaplicy
Rachował, aż zrozumiał, że to właśnie tu:
Bo drewnianą Madonnę z Dzieciątkiem w koronie
Ogląda tłum ospałych amatorów sztuki.
Tak i ja. Już nie dalej. Góry i doliny
Przebyte. Ognie. Wody. I niewierna pamięć.
Pasja ta sama, choć wezwania znikąd.
I tylko w zaprzeczeniu dom swój miała świętość.

[That is Probably Why…]

From the poem *From the Rising of the Sun*

That's probably why I went on a pilgrimage.
The direction those will recognize who, for instance,
Having visited the caves near Les Eyzies,
Stopping perhaps at noon in Sarlat,
From there took the road that leads to Souillac
Where a bas-relief in a Romanesque portal
Tells the adventures of Monk Theophilus
From Adana in Cilicia, and where the prophet Isaiah
For eight centuries has persisted in a violent gesture
As if he were plucking the strings of an invisible harp.
And on and on, into winding dells, until suddenly
It appears high, so high, that jewel of wayfarers,
As desired as a nest in the top of a fir tree
Was in our boyhood: Roc Amadour.
But I'm not insistent. A road to Compostela
Or to Jasna Góra would instruct you as well.

Pursuing and passing by. Here a mossy rock
Runs, becomes more distinct at every curve,
Then fades in the distance. There, a river flashes
Beyond the trees and the arc of a bridge. But, remember,
Neither the view will stop us, nor the kingfisher
Stitching together the two banks with the bright thread of its
flight,
Nor the maiden in the tower, though she lures us with a smile
And blindfolds us before she leads us to her chamber.
I was a patient pilgrim. And so I notched
Each month and year on my stick, since it neared me to my aim.

Yet when at last I arrived after many years
What happened there, many would know, I think,
Who in the parking lot at Roc Amadour
Found a space and then counted the steps
To the upper chapel, to make sure that this was it,
And saw a wooden Madonna with a child in a crown,
Surrounded by a throng of impassive art lovers.
As I did. Not a step further. Mountains and valleys
Crossed. Through flames. Wide waters. And unfaithful memory.
The same passion but I hear no call.
And the holy had its abode only in denial.

Panorama
Rocamadour

Panorama of
Rocamadour

Schody prowadzące
do bazyliki
w Rocamadour

Stairway leading
up to the basilica
at Rocamadour

[Uliczka, prawie na wprost...]

Z poematu *Gdzie wschodzi słońce i kędy zapada*

Uliczka, prawie na wprost uniwersytetu
Rzeczywiście nazywała się tak: Zaułek Literacki.
Na rogu księgarnia, ale nie tomy, szpargały,
Ciasno, aż do sufitu. Nieoprawne, sznurkiem związane,
I druk, i pismo, łacinka, cyrylica,
Hebrajskie litery. Sprzed stu, trzystu lat.
Dzisiaj myślę, że to była nie lada fortuna.
Z tej księgarni widziało się tuż naprzeciwko,
Trochę na ukos, drugą taką samą.
I właściciele podobni: wyblakłe brody,
Długie chałaty, zaczerwienione powieki.
Nie zmienili się od roku, kiedy przejeżdżał tędy Napoleon.
Nic nie zmieniło się tutaj. Przywilej kamieni?
Zawsze są, bo tak lubią. Za drugą księgarnią
Zakręca się wzdłuż muru i mija się dom,
W którym poeta, sławny w naszym mieście,
Pisał opowieść o księżnej imieniem Grażyna.
Tuż obok brama, drewniana, nabijana ćwiekami,
Ogromnymi, wielkości pięści. Pod sklepieniem na prawo
Schody pachnące farbą i tam mieszkam.
Nie żebym sam wybierał Zaułek Literacki.
Złożyło się, był pokój do wynajęcia,
Niski, z oknem w wykuszu, z szerokim dębowym łożem,
I piec dobrze grzał tej surowej zimy,
Trawiąc polana, które przynosiła z sieni
Stara służąca, Alżbieta.

[The Narrow Street…]
From the poem *From the Rising of the Sun*

The narrow street, just opposite the university
Was called, in fact, Literary Lane.
On the corner, a bookstore; but not books, just sheaves of paper
Up to the very ceiling. Unbound, tied with string,
Print and handwriting, in Latin, Cyrillic script,
In Hebrew letters. From a hundred, three hundred years ago.
Now it seems to me like quite a fortune.
From this bookstore you could see a similar one
Facing it. And their owners
Were similar, too: faded beards
Long black caftans, red eyelids.
They hadn't changed since the day Napoleon passed through the town.
Nothing has changed here. The privilege of stones?
They always are, for that is the way they like it. Beyond the second store
You turn along a wall and pass a house
Where a poet, famous in our city,
Wrote a tale about a princess named Grażyna.
Next, a wooden gate studded with nails
As huge as fists. Under the vault, to the right,
Stairs smelling of oil paint, where I live.
Not that I myself chose Literary Lane.
It just happened, there was a room for rent,
Low-ceilinged, with a bay window, an oak bed,
Heated well that severe winter by a stove
That used to devour logs brought from the hallway
By the old servant woman, Lisabeth.

Wilno, Zaułek
Literacki, zdjęcie
archiwalne

Archival photo of
Zaułek Literacki,
Wilno (prewar
Vilnius)

Zaułek Literacki,
w głębi widoczna
oświetlona wieża
dzwonnicy kościoła
św. Jana, zdjęcie
archiwalne

Zaułek Literacki,
with the illuminated
tower of St. John's
Church in the
background.
Archival photo

Czarodziejska góra

Nie pamiętam dokładnie, kiedy umarł Budberg, albo dwa, albo trzy lata temu.
Ani kiedy Chen. Rok temu czy dawniej.
Wkrótce po naszym przyjeździe Budberg, melancholijnie łagodny,
Powiedział, że z początku trudno się przyzwyczaić,
Bo nie ma tutaj ni wiosny i lata, ni jesieni i zimy.

„–Śnił mi się ciągle śnieg i brzozowe lasy.
Gdzie prawie nie ma pór roku, ani spostrzec, jak upływa czas.
To jest, zobaczy Pan, czarodziejska góra".

Budberg: w dzieciństwie domowe nazwisko.
Dużo znaczyła w kiejdańskim powiecie
Ta rosyjska rodzina, z bałtyckich Niemców.
Nie czytałem żadnej z jego prac, zanadto specjalne.
A Chen był podobno znakomitym poetą.
Muszę to przyjąć na wiarę, bo pisał tylko po chińsku.

*

Upalny październik, chłodny lipiec, w lutym kwitną drzewa.
Godowe loty kolibrów nie zwiastują wiosny.
Tylko wierny klon zrzucał co roku liście bez potrzeby,
Bo tak nauczyli się jego przodkowie.

*

Czułem, że Budberg ma rację, i buntowałem się.
Więc nie dostanę potęgi, nie uratuję świata?
I sława mnie ominie, ni tiary, ani korony?
Czyż na to ćwiczyłem siebie, Jedynego,
Żeby układać strofy dla mew i mgieł od morza,
Słuchać, jak buczą tam nisko okrętowe syreny?

A Magic Mountain

I don't remember exactly when Budberg died, it was either two years
ago or three.
The same with Chen. Whether last year or the one before.
Soon after our arrival, Budberg, gently pensive,
Said that in the beginning it is hard to get accustomed,
For here there is no spring or summer, no winter or fall.

„I kept dreaming of snow and birch forests.
Where so little changes you hardly notice how time goes by.
This is, you will see, a magic mountain."

Budberg: a familiar name in my childhood.
They were prominent in our region,
This Russian family, descendants of German Balts.
I read none of his works, too specialized.
And Chen, I have heard, was an exquisite poet,
Which I must take on faith, for he wrote in Chinese.

Sultry Octobers, cool Julys, trees blossom in February.
Here the nuptial flight of hummingbirds does not forecast spring.
Only the faithful maple sheds its leaves every year.
For no reason, its ancestors simply learned it that way.

I sensed Budberg was right and I rebelled.
So I won't have power, won't save the world?
Fame will pass me by, no tiara, no crown?
Did I then train myself, myself the Unique,
To compose stanzas for gulls and sea haze,
To listen to the foghorns blaring down below?
Until it passed. What passed? Life.
Now I am not ashamed of my defeat.
One murky island with its barking seals
Or a parched desert is enough

To make us say: yes, *oui, si.*
"Even asleep we partake in the becoming of the world."
Endurance comes only from enduring.
With a flick of the wrist I fashioned an invisible rope,
And climbed it and it held me.

Aż minęło. Co minęło? Życie.
Teraz nie wstydzę się mojej przegranej.
Jedna pochmurna wyspa ze szczekaniem fok
Albo sprażona pustynia, i tego nam dosyć,
Żeby powiedzieć *yes, tak, si.*
„Nawet śpiąc, pracujemy nad stawaniem się świata".
Tylko z wytrwałości bierze się wytrwałość.
Gestami stwarzałem niewidzialny sznur.
I wspinałem się po nim, i trzymał mnie.

*

Jaka procesja! *Quelles délices!*
Jakie birety i z wyłogami togi!
Mnogouważajemyj Professor Budberg,
Most Distinguished Professor Chen,
Ciemno Wielmożny Profesor Milosz,
Który pisywał wiersze w bliżej nieznanym języku.
Kto ich tam zresztą policzy. A tu słońce.
Tak, że bieleje płomień ich wysokich świec
I ileż pokoleń kolibrów im towarzyszy,
Kiedy tak posuwają się. Po czarodziejskiej górze.
I zimna mgła od morza znaczy, że znów lipiec.

1975

What a procession! *Quelles délices!*
What caps and hooded gowns!
Most respected Professor Budberg,
Most distinguished Professor Chen,
Wrong Honorable Professor Milosz
Who wrote poems in some unheard-of tongue.
Who will count them anyway. And here sunlight.
So that the flames of their tall candles fade.
And how many generations of hummingbirds keep them company
As they walk on. Across the magic mountain.
And the fog from the ocean is cool, for once again it is July.

Berkeley, 1975

Berkeley, kampus
uniwersytecki

Berkeley University
campus

Strona 10
Z poematu *Osobny zeszyt*

Rzeka Sacramento, między jałowymi wzgórzami, płowa,
Targana płytkim wiatrem od zatoki,
Mosty, na których moje koła wystukiwały metrum.

Okręty, czarne zwierzęta między wyspami,
Szara zima na wodach i w niebie.
Gdyby mogli zostać wezwani z wiosen i lądów dalekich,
Czy umiałbym już im powiedzieć najgorsze, ale prawdziwe
O tej mądrości nie dla nich, która przyszła do mnie?

Sacramento River, among barren hills, tawny,
And spurts of shallow wind from the bay
And on the bridges my tires drum out a meter.

Ships, black animals among the islands,
Gray winter on the waters and the sky.
If they could be called in from their far-off Aprils and countries,
Would I know how to tell them what is worst yet true—
The wisdom, not for them, that has come to me?

Rzeka Sacramento   The Sacramento River

Strona 13

Z poematu Osobny zeszyt

Nie wybierałem Kalifornii. Była mi dana.
Skąd mieszkańcowi północy do sprażonej pustki?
Szara glina, suche łożyska potoków,
Pagórki koloru słomy i gromady skał
Jak jurajskich jaszczurów: tym jest dla mnie
Dusza tych okolic.
I mgła wpełzająca na to z oceanu,
Która zalęga zieleń w kotlinach,
I dąb kolczasty, i osty.

Gdzie powiedziane, że należy się nam ziemia-oblubienica,
Abyśmy zanurzyli się w jej rzekach głębokich i czystych
I płynęli, żyznymi prądami niesieni?

Page 13

I did not choose California. It was given to me.
What can the wet north say to this scorched emptiness?
Grayish clay, dried-up creek beds,
Hills the color of straw, and the rocks assembled
Like Jurassic reptiles: for me this is
The spirit of the place.
And the fog from the ocean creeping over it all,
Incubating the green in the arroyos
And the prickly oak and the thistles.

Where is it written that we deserve the earth for a bride,
That we plunge in her deep, clear waters
And swim, carried by generous currents?

Pustynny krajobraz
Kalifornii

Desert landscape
in California

Ziemia w obnażeniu zastygłej lawy porytej łożyskami rzek,
rozległa, pusta, sprzed początku roślinności.

A rzeka, nad którą przybyli, nazwana przez awanturników:
Columbia, toczy wody, które są niby zimna i płynna lawa, tak
szara, jakby nie było nad nią nieba ani obłoków.

Nie ma tu nic, prócz wiatrów planety wzbijających pył
zwietrzałej skały.

Po setce mil zbliża się do nich budynek na płaskowyżu, a kiedy
wchodzą do wnętrza, spełnia się dawny sen o wulkanicznej
pustyni.

Gdyż jest to muzeum przechowujące hafty księżniczek, kołyski
następców tronu, fotografie kuzynów i kuzynek zapomnianej
dynastii.

Wicher uderza z łoskotem w mosiężne drzwi, a tutaj skrzypią
parkiety przed portretami cara Mikołaja i królowej rumuńskiej
Marii.

Jaki szaleniec wybrał to miejsce, żeby złożyć tutaj pamiątki
swoich uwielbień, szarfy lila i suknie *crêpe de chine*?

Na wieczną gorycz utraconej cielesności dorodnych panien
podróżujących z rodziną do Biarritz.

Na poniżanie dotknięć i szeptów mową osypujących się
pumeksowych i bazaltowych żwirów.

Aż zamiast żalu zostaje niemogłuche ćmienie abstrakcji.

From the poem The Separate Notebooks

The earth in its nakedness of hard lava carved by river beds, the vast earth, void, from before the vegetation.

And the river they came to, called by adventurers Columbia, rolls down her waters, a cold and liquid lava as gray as if there were neither sky nor white clouds above.

Nothing here, except the winds of the planet raising dust from the eroded rock.

And, after a hundred miles, they reach the building on the plateau, and when they enter it, an old dream of a volcanic desert comes true;

For this is a museum, preserving the embroideries of princesses, the cradle of a crown prince, photographs of the cousins and nieces of a forgotten dynasty.

The wind beats loudly against the brass door, while the parquets squeak under the portraits of Czar Nicholas and of the Romanian queen, Maria.

What madman chose this place to dispose the souvenirs of his adoration, lilac-colored scarves and dresses in crêpe de chine?

For the eternal bitterness of the lost fleshliness of lovely girls traveling with their families to Biarritz.

For the degradation of touches and whispers by the mutterings of strewn pumice and basalt gravel.

Until even regret wears thin, and a deaf-dumb abstract ache remains?

Nazywał się Sam Hill i był milionerem. Na wietrznej wyżynie, tam gdzie rzeka Columbia płynąca z Gór Skalistych wydrążyła sobie kaniony w wulkanicznych warstwach z epoki pliocenu i gdzie nieco później wytyczono wzdłuż niej granicę między środkowym stanem Washington i środkowym Oregonem, zaczął w 1914 roku budowę domu, który miał mu posłużyć za muzeum ku czci przyjaciółki, Marii rumuńskiej. Piękność na tronie, najstarsza córka Duke of Edinburgh and Saxe-Coburg-Gotha i wielkiej księżnej rosyjskiej Marii, a więc kuzynka zarówno króla Jerzego, jak cara Mikołaja, miała lat osiemnaście, kiedy poślubiła w roku 1893, w Poczdamie, księcia Ferdynanda Hohenzollern-Zigmaringen, rumuńskiego następcę tronu. Mówiono o niej, że ma *cuisse légère*, czyli lekkie udo. Jakkolwiek było, Sam Hill nazwał budynek Maryhill, łącząc jej imię i swoje nazwisko, a otwarcie muzeum w 1926 roku odbyło się przy współudziale monarchini. Nieliczni turyści, których zagnało w te strony, mają możność oglądać ją w rumuńskim stroju ludowym, jak też podziwiać jej rzeźbiony tron, jej kołowrotek i krosna. W gablotkach są przechowywane jej toalety, ściany zdobią portrety jej krewnych, w pierwszym rzędzie carskiej rodziny.

His name was Sam Hill and he was a millionaire. On the windy heights where the Columbia River, flowing down out of the Rocky Mountains, had carved canyons for itself in volcanic layers from the time of the Pliocene, and where, a little later, men traced a border between central Washington and central Oregon, he started to build an edifice in 1914 which was to serve as a museum honoring his friend Maria of Romania. A beauty on the throne, eldest daughter of the Duke of Edinburgh and Saxe-Coburg-Gotha and of the Great Princess of Russia, Mary, thus cousin to both King George and Czar Nicholas II, she was eighteen when, in 1893, she married Prince Ferdinand Hohenzollern-Sigmaringen, the Romanian Crown Prince. It was rumored that she had *une cuisse légère*, i.e., a light thigh. Whatever the truth was, Sam Hill named his building Maryhill, uniting her name to his, and the inauguration of the museum in 1926 took place with the active participation of the royal guest. The few tourists who wander that way are able to take a look at her in Romanian folk dress; also to marvel at her sculptured throne, her spinning wheel, and her loom. Her toilets are preserved in the showcases, the walls adorned with portraits of her relatives, predominantly the Czar's family.

Muzeum Maryhill   Maryhill Museum of Art

Z poematu *Osobny zeszyt*

Jeżeli nie teraz, to kiedy będzie pora?
Nadchodzi lotnisko Phoenix, widzę stożki wulkanicznych gór
I myślę o wszystkim, czego nie powiedziałem.
O słowach cierpieć i cierpliwość, o tym, ile można znieść,
Tresując latami swój gniew, aż zmęczy się i ulegnie.
Nadchodzi wyspa Kauai, szmaragd w oprawie obłoków,
Ciepły wiatr w liściach palmowych, a ja o śniegach
Mojej prowincji dalekiej, w której działy się
Sprawy innego życia, niepojęte.
Jasna połowa planety przesuwa się w ciemność
I zasypiają miasta, każde na swojej godzinie.
A dla mnie jak wtedy za dużo, za dużo świata.

Page 24

If not now, when?
Here is the Phoenix airfield,
I see the cones of volcanic mountains
And I think of all I have not said,
About the words *to suffer* and *sufferance* and how one can bear a lot
By training anger until it gets tired and gives up.
Here is the island Kauai, an emerald set among white clouds,
Warm wind in the palm leaves, and I think of snow
In my distant province where things happened
That belong to another, inconceivable life.
The bright side of the planet moves toward darkness
And the cities are falling asleep, each in its hour,
And for me, now as then, it is too much.
There is too much world.

Wyspa Kauai,
Hawaje

Kauai Island,
Hawaii

Rue Descartes

Mijając ulicę Descartes,
Schodziłem ku Sekwanie, młody barbarzyńca w podróży
Onieśmielony przybyciem do stolicy świata.

Było nas wielu, z Jass i Koloszwaru, Wilna i Bukaresztu, Sajgonu i Marakesz,
Wstydliwie pamiętających domowe zwyczaje,
O których nie należało mówić tu nikomu:
Klaśnięcie na służbę, nadbiegają dziewki bose,
Dzielenie pokarmów z inkantacjami,
Chóralne modły odprawiane przez panów i czeladź.

Zostawiłem za sobą pochmurne powiaty.
Wkraczałem w uniwersalne, podziwiając, pragnąc.

Następnie wielu z Jass i Koloszwaru albo Sajgonu, albo Marakesz
Było zabijanych, ponieważ chcieli obalić domowe zwyczaje.

Następnie ich koledzy zdobywali władzę,
Żeby zabijać w imię pięknych idei uniwersalnych.

Tymczasem zgodnie ze swoją naturą zachowywało się miasto,
Gardłowym śmiechem odzywając się w ciemności,
Wypiekając długie chleby i w gliniane dzbanki nalewając wino,
Ryby, cytryny i czosnek kupując na targach,
Obojętne na honor i hańbę, i wielkość, i chwałę,
Ponieważ to wszystko już było i zmieniło się
W pomniki przedstawiające nie wiadomo kogo,
W ledwo słyszalne arie albo zwroty mowy.

Znowu opieram łokcie o szorstki granit nabrzeża,
Jakbym wrócił z wędrówki po krajach podziemnych
I nagle zobaczył w świetle kręcące się koło sezonów,
Tam gdzie upadły imperia, a ci, co żyli, umarli.
I nie ma już tu i nigdzie stolicy świata.
I wszystkim obalonym zwyczajom wrócono ich dobre imię.
I już wiem, że czas ludzkich pokoleń niepodobny do czasu Ziemi.

Bypassing rue Descartes

Bypassing rue Descartes
I descended toward the Seine, shy, a traveler,
A young barbarian just come to the capital of the world.

We were many, from Jassy and Koloshvar, Wilno and Bucharest,
                                    Saigon and Marrakesh,
Ashamed to remember the customs of our homes,
About which nobody here should ever be told:
The clapping for servants, barefooted girls hurry in,
Dividing food with incantations,
Choral prayers recited by master and household together.

I had left the cloudy provinces behind,
I entered the universal, dazzled and desiring.

Soon enough, many from Jassy and Koloshvar, or Saigon or Marrakesh
Would be killed because they wanted to abolish the customs of their
                                    homes.

Soon enough, their peers were seizing power
In order to kill in the name of the universal, beautiful ideas.

Meanwhile the city behaved in accordance with its nature,
Rustling with throaty laughter in the dark,
Baking long breads and pouring wine into clay pitchers,
Buying fish, lemons, and garlic at street markets,
Indifferent as it was to honor and shame and greatness and glory,
Because that had been done already and had transformed itself
Into monuments representing nobody knows whom,
Into arias hardly audible and into turns of speech.

Again I lean on the rough granite of the embankment,
As if I had returned from travels through the underworlds
And suddenly saw in the light the reeling wheel of the seasons
Where empires have fallen and those once living are now dead.

A z ciężkich moich grzechów jeden najlepiej pamiętam:
Jak przechodząc raz leśną ścieżką nad potokiem,
Zrzuciłem duży kamień na wodnego węża zwiniętego w trawie.

I co mnie w życiu spotkało, było słuszną karą,
Która prędzej czy później łamiącego zakaz dosięgnie.

1980

There is no capital of the world, neither here nor anywhere else,
And the abolished customs are restored to their small fame
And now I know that the time of human generations is not like the
    time of the earth.

As to my heavy sins, I remember one most vividly:
How, one day, walking on a forest path along a stream,
I pushed a rock down onto a water snake coiled in the grass.

And what I have met with in life was the just punishment
Which reaches, sooner or later, the breaker of a taboo.

                                        Berkeley, 1980

Paryż, Rue
Descartes

Rue Descartes,
Paris

Chłopiec

Zarzucasz wędkę, stojąc na kamieniu.
Bose nogi okrąża woda migotliwa
Twojej rodzinnej rzeki w gęstwie lilii wodnych.
I kim ty jesteś, zapatrzony w pławik,
Wsłuchany w echa, w stukanie kijanek?
Jakież to piętno na tobie, paniczu,
Już teraz chory na swoją osobność,
Z jedną tęsknotą: żeby być jak inni?
Znam twoje dzieje i wiem, kim zostaniesz.
W stroju Cyganki mógłbym zejść nad rzekę
I wróżyć tobie: sława i bogactwo.
Nie mówiąc jednak, jaka będzie cena
Nie do wyznania tym, co nam zazdroszczą.
Jedno jest pewne: dwie twoje natury,
Skąpa, ostrożna, przeciw drugiej, hojnej.
I będziesz długo szukać pogodzenia,
Aż twoje prace wydadzą się marne,
A piękne tylko lekkomyślne dary,
Wspaniałość serca, beztroskie oddanie
Bez ksiąg, pomników i ludzkiej pamięci.

A Boy

Standing on a boulder you cast a line,
Your bare feet rounded by the flickering water
Of your native river thick with water lilies.
And who are you, staring at the float
While you listen to echoes, the clatter of paddles?
What is the stigma you received, young master,
You who are ill with your apartness
And have one longing: to be just like the others?
I know your story and I learned your future.
Dressed as a Gypsy girl I could stop by the river
And tell your fortune: fame and a lot of money,
Without knowledge, though, of the price to be paid
Which one does not admit to the envious.
One thing is certain: in you, there are two natures.
The miserly, the prudent one against the generous.
For many years you will attempt to reconcile them
Till all your works have grown small
And you will prize only uncalculated gifts,
Greatheartedness, self-forgetful giving,
Without monuments, books, and human memory.

Litwa, nadrzeczny
pejzaż

Lithuania, riverside
view

W mieście Salem

Pogodzić się z grzechami pora,
Siebie oglądać w ciemnej prawdzie.
Togi, birety, humaniora,
Wykłady moje na Harvardzie,
Waszym językiem nicość woła.

Do swego środka wycofany
Na Most Zielony idę w Wilnie.
Kartkę wysłałem z Luizjany,
Stara kobieta niech ją przyjmie.
Oboje płacz nad losem znamy.

Uparte sny przez całe lata,
Jeżeli to ma być pociechą
J. W. dla ciebie. I przepada,
Co mogło być, i milknie echo.
Na zawsze była ta utrata.

Wymyka się co dotykalne
Kunsztowi słów i rozumieniu.
Wcześnie ten wyrok zapadł na mnie,
Żebym powracał w państwie cieniów
Na róg Portowej i Zawalnej.

W Salem zwiedzałem dom czarownic,
A wiek mój był jak jedna chwila,
Między dymami smolnych ognisk
Płynęła Leta albo Wilia.
Imion niech każdy tu zapomni.

In Salem

Now you must bear with your poor soul.
Guilt only, where you proudly stood.
Diplomas, honors, parchment scrolls,
Lectures at Harvard, doctor's hood:
Tongues in which nothing loudly calls.

I walk somewhere at the world's end,
In Wilno, by a bridge called Green.
An old woman reads postcards I send
From Baton Rouge or Oberlin.
We both have reasons to lament.

Dreams visit me year after year,
They are expendable, J.W.
What might have been is just thin air,
A loss we long ago outgrew.
So why do we talk and why do we care?

You know that tangible things escape
The art of words and tricks of mind.
Early I guessed what was my fate,
The sentence was already signed
At Haven Street and the Outgate.

In Salem, by a spinning wheel
I felt I, too, lived yesterday,
My river Lethe is the Wilia,
Forest bonfires like censers sway,
So many names and all unreal.

Salem, tzw.
Dom Czarownic

The Witch House,
Salem

O świcie

O, jakże trwałe. O, jak potrzebujemy trwałości.
Światłem nasyca się niebo przed wschodem słońca.
Lekko różowieją gmachy, mosty i Sekwana.
Byłem tu, kiedy ta, z którą idę, nie urodziła się jeszcze
I miasta na dalekiej równinie stały nienaruszone,
Zanim wzbiły się w powietrze pyłem nagrobnej cegły,
I mieszkali tam ludzie, którzy nie wiedzieli.
Rzeczywista jest dla mnie tylko ta chwila o świcie.
Żywoty, które minęły, są niepewne jak ja dawny.
Zaklęcie rzucam na miasto, prosząc, żeby trwało.

At Dawn

How enduring, how we need durability.
The sky before sunrise is soaked with light.
Rosy color tints buildings, bridges, and the Seine.
I was here when she, with whom I walk, wasn't born yet
And the cities on a distant plain stood intact
Before they rose in the air with the dust of sepulchral brick
And the people who lived there didn't know.
Only this moment at dawn is real to me.
The bygone lives are like my own past life, uncertain.
I cast a spell on the city asking it to last.

Paryż, Sekwana
przy Île de Cité
i katedrze Notre
Dame

Paris, the River
Seine at Île de Cité
and Notre Dame
Cathedral

Caffè Greco

W latach osiemdziesiątych dwudziestego wieku, w Rzymie, przy via Condotti,
Siedzieliśmy z Turowiczem w Caffè Greco
I odezwałem się w te, mniej więcej, słowa:
– Widzieliśmy wiele, poznaliśmy wiele.
Upadały państwa, przemijały kraje,
Chimery ludzkiego umysłu osaczały nas,
Ludzie ginęli albo szli w niewolę.
Jaskółki Rzymu budzą mnie o świcie
I czuję wtedy krótkotrwałość, lekkość
Odrywania się. Kim jestem, kim byłem,
Nie tak już ważne. Dlatego że inni
Szlachetni, wielcy podtrzymują mnie,
Kiedy o nich pomyślę. O hierarchii bytów.
Ci, którzy wierze swojej dawali świadectwo,
Których imiona starto i wdeptano w ziemię,
Nawiedzają nas dalej. Z nich bierze się miara
Dzieł, spodziewań się, planów, rzekłbym, estetyczna.

Czymże okupi siebie literatura,
Jeżeli nie pochwalną melopeją, hymnem
Chociażby mimo woli? A Ty masz mój podziw,
Bo dokonałeś więcej niż genialni, pyszni
Tu siadujący niegdyś moi kompanowie.
Nie rozumiałem, czemu dręczył ich brak cnoty,
Skąd zgryzota sumienia, teraz już rozumiem.
Z wiekiem, czy też z mijaniem dwudziestego wieku
Pięknieje dar mądrości i zwyczajna dobroć.
Czytany przez nas obu dawniej Maritain
Miałby powód do chluby. A dla mnie: zdziwienie,
Że stoi miasto Rzym, że znów się spotykamy,
Że jestem jeszcze chwilę, i ja, i jaskółka.

1986

Caffè Greco

In the eighties of the twentieth century, in Rome, via Condotti
We were sitting with Turowicz in the Caffè Greco
And I spoke in, more or less, these words:

—We have seen much, comprehended much.
States were falling, countries passed away.
Chimeras of the human mind besieged us
And made people perish or sink into slavery.
The swallows of Rome wake me up at dawn
And I feel then transitoriness, the lightness
Of detaching myself. Who I am, who I was
Is not so important. Because others,
Noble-minded, great, sustain me
Anytime I think of them. Of the hierarchy of beings.
Those who gave testimony to their faith,
Whose names are erased or trampled to the ground
Continue to visit us. From them we take the measure,
Aesthetic, I should say, of works, expectations, designs.
By what can literature redeem itself
If not by a melopoeia of praise, a hymn
Even unintended? And you have my admiration,
For you accomplished more than did my companions
Who once sat here, the proud geniuses.
Why they grieved over their lack of virtue,
Why they felt such pangs of conscience, I now understand.
With age and with the waning of this age
One learns to value wisdom, and simple goodness.
Maritain whom we used to read long ago
Would have reason to be glad. And for me: amazement
That the city of Rome stands, that we meet again,
That I still exist for a moment, myself and the swallows.

Rome, 1986

Stolik w Caffè Greco   A table in the Caffè Greco

Wnętrze Caffè Greco   Caffè Greco interior

4

W Yale

I. Rozmowa

Siedzieliśmy pijąc wódkę, Brodski, Venclova
Ze swoją piękną Szwedką, ja, Richard,
Koło Art Gallery, pod koniec stulecia,
Które obudziło się jak z ciężkiego snu
I spytało w zdumieniu: „Co to było?
Jak mogliśmy? Chyba układ gwiazd,
Plamy na słońcu?
       – Bo Historia
Przestaje być zrozumiała. Ród nasz
Nie podlega żadnemu rozumnemu prawu,
Granice jego natury nieznane.
Nie jest tym samym co ja, ty, człowiek.

– Powraca tedy ludzkość do ulubionych zajęć
Na wielkiej przerwie. Smak i dotyk
Drogie jej są. Książki kucharskie,
Przepisy na seks doskonały, zasady
Obniżające cholesterol, metody
Szybkiego odchudzania się – to jej potrzebne.
Jest jednym (z kolorowych magazynów) ciałem,
Które co ranka biega wzdłuż alei parków,
Dotyka siebie w lustrze, sprawdza wagę,
Et ça bande et ça mouille, by rzec krótko.
Czy to my? Czy to o nas? Tak i nie.

– Bo, nawiedzeni snami dyktatorów,
Czyż nie wznosimy się nad nich, lekkomyślnych,
Rozmyślając o karze, która jest należna
Wszystkim zanadto kochającym życie?

– Nie tak już lekkomyślni, adorują
W swoich nowych świątyniach i śmiertelność
Pokonywana rzemiosłem artystów
Jest tym, co ich pociesza w salach muzeów.

At Yale

I

We were drinking vodka together, Brodsky, Venclova
With his beautiful Swedish girl, myself, Richard,
Near the Art Gallery, at the end of the century
Which woke up as if from a heavy slumber
And asked, in stupefaction: "What was that?
How could we? A conjunction of planets?
Or spots on the sun?"
                                        — For history
Is no more comprehensible. Our species
Is not ruled by any reasonable law.
The boundaries of its nature are unknown.
It is not the same as I, you, a single human.

—Thus mankind returns to its beloved pastimes
During the break. Taste and touch
Are dear to it. Cookbooks,
Recipes for perfect sex, rules
Lowering cholesterol, methods
Of quickly losing weight—that's what it needs.
It is one (from colorful magazines) body
That every morning runs along park lanes,
Touches itself in a mirror, checks its weight.
Et ça bande et ça mouille—to put it briefly.
Are we that? Does it apply to us? Yes and no.

—For, visited by dictators' dreams,
Don't we soar above them who are light-headed
And unwilling to think of the punishment that
    awaits
All those who are too much in love with life?

—Not so light-headed after all, they worship
In their new temples, and mortality,
Having been overcome by the craft of artists,
Comforts them in the halls of museums.

– Nastąpił znowu czas uwielbienia sztuki.
Imion bogów zapomniano, zamiast nich mistrzowie
Unoszą się w obłokach, Święty van Gogh, Matisse,
Goya, Cézanne, Hieronymus Bosch,
Razem z plejadą mniejszych, kręgiem akolitów.
I co by powiedzieli, zstępując na ziemię,
Wzywani w fotografiach, gazetach, TV?
Gdzie noc, która gęstniała w samotnej pracowni
I uchodźców ze świata chroniła, zmieniała?

– Wszelka forma – powiada Baudelaire –
Nawet ta, którą stworzy człowiek,
Jest nieśmiertelna. Był raz artysta
Wierny i pracowity. Jego pracownia
Ze wszystkim, co namalował, spaliła się,
On sam został rozstrzelany. Nikt o nim nie wie.
Ale obrazy jego trwają. Po drugiej stronie ognia.

– Kiedy myślimy o tym, co spełnia się
Za naszym pośrednictwem, trochę nam nieswojo.
Forma zamknięta, jest, choć jej nie było,
I odtąd nic nam do niej, inni, pokolenia
Wybiorą z niej, co zechcą, przyjmą albo zniszczą
I zamiast nas prawdziwych postawią imiona.

– A gdyby cała wewnętrzna brudnawość
I wariactwo, i wstyd, dużo wstydu,
Nie były zapomniane, czy byśmy woleli?
Chcą w nas odnaleźć ulepszonych siebie:
Zamiast wad śmiesznych, monumentalne.
I wyjawione mniej przykre sekrety".

—So the time came again for adoring art.
The names of gods are forgotten, instead, the masters
Soar in the clouds, Saint Van Gogh, Matisse,
Goya, Cézanne, Hieronymus Bosch,
Together with a cluster of the smaller ones, the acolytes.
And what would they say had they stepped down on earth,
Invoked in photographs, newspapers, TV?
Where are those nights growing dense in the loneliness of a workshop,
Which protected, transformed the refugees from the world?

—All form—says Baudelaire—
Even the one created by man,
Is immortal. There was once an artist
Faithful and hard working. His workshop
Together with all he had painted, burned down,
He himself was executed. Nobody has heard of him.
Yet his paintings remain. On the other side of fire.

—Whenever we think of what fulfills itself
By making use of us, we are somewhat uneasy.
A form is accomplished, exists, though before it was not,
And we have nothing more to do with it. Others, generations,
Will chose what they want, accepting or destroying it.
And instead of us, real, they will need just names.

—But suppose all our internal dirt
And nuttiness and shame, a lot of shame,
Were not forgotten—would we prefer that?
They want to find in us their improved selves:
Instead of comic flaws, flaws monumentalized,
And secrets revealed, provided they are not too depressing.

Tereny Uniwersytetu
w Yale

Yale University
campus

Beinecke Library

Swój dom pośmiertny miał w mieście New Haven,
W białym budynku, którego ściany
Z przezroczystego marmuru, jak gdyby szylkretu,
Sączą żółtawe światło na półki z książkami,
Portrety i popiersia z brązu. Tam właśnie
Postanowił zamieszkać, kiedy jego popiół
Niczego już nie wyjawi. Choć i tutaj,
Gdyby mógł dotknąć swoich rękopisów,
Byłby zdziwiony tak wielką przemianą
Losu w litery, że nikt nie odgadnie,
Kim był naprawdę. Buntował się, krzyczał
I spełniał wiernie, co było sądzone.
Empirycznie poznawał, że jego życiorys
Starannie układały nie po jego woli
Moce, z którymi trudno wejść w alianse.
Czy więcej zła, czy dobra wyrządził? To jedno
Byłoby chyba ważne. Tamto, artyzm,
I tak niewiele znaczy, jak wiedzą potomni,
Jeżeli równe tętno, oddech lekki,
Dzień jest słoneczny i różowy język
Sprawdza w lusterku ciemny karmin wargi.

Beinecke Library

He had his home, posthumous, in the town of New Haven,
In a white building, behind walls
Of translucent marble like turtle shell,
Which seep yellowish light on ranges of books,
Portraits and busts in bronze. There precisely
He decided to dwell when nothing any more
Would be revealed by his ashes. Though there, too,
Had he been able to touch his manuscripts
He would have been surprised by the destiny
Of such a complete change into letters, that no one
Could guess who he really was. He rebelled, screamed
And faithfully fulfilled what had been preordained,
Discovering empirically that his biography
Had been carefully arranged against his will
By powers with whom it's hard to conclude an alliance.
Has he done more evil or more good? This only
Must be important. The rest, artistry,
Does not count anyway, as they, our posterity, know
Any time the pulse is normal, breathing easy,
The day sunny, and a rosy tongue
Checks in a little mirror the dense carmine of the lip.

Regały z książkami
w Beinecke Library

Bookshelves in the
Beinecke Library

Budynek Beinecke Library,
widok z zewnątrz

The Beinecke
Library

***

Szerokie palce hawajskiej paproci
Widziane pod słońce i moja radość
Na myśl, że liście będą, kiedy mnie nie będzie.
Próbuję zrozumieć, co ta radość znaczy.

Large finger-like leaves of an Hawaiian fern
Seen against the sun and my joy
At the thought that they will be when I am no more.
I try to grasp what that joy signifies.

Ogromne
paprocie hawajskie
w naturalnym
środowisku

Huge Hawaiian
ferns in
their natural
surroundings

Capri

Jestem dzieckiem, które przystępuje do pierwszej komunii
w Wilnie i później pije kakao roznoszone przez gorliwe
katolickie panie.

Jestem stary człowiek, który tamten ranek czerwcowy pamięta:
upojenie bezgrzesznych, białe obrusy i słońce
na wazach z bukietami piwonii.

Qu'as tu fait, qu'as tu fait de ta vie? – głosy nawołują w różnych
językach pozbieranych w wędrówkach po dwóch
kontynentach. Co zrobiłeś ze swoim życiem, co zrobiłeś?

Powoli, rozważnie, teraz kiedy dokonało się przeznaczenie,
zapuszczam się między widoki minionego czasu,

Mego stulecia, w którym, i w żadnym innym, kazano mi
urodzić się, pracować i zostawić ślad.

Te katolickie panie przecież istniały i gdybym tam wrócił,
tożsamy, ale z inną świadomością, wpatrywałbym się,
chcąc zatrzymać, w ich niknące twarze.

Jeszcze powozy i zady koni oświetlone błyskawicą
albo pulsującą łuną dalekiej artylerii.

Chaty kurne, dym kłębiący się na ich dachach i szerokie
drogi piaszczyste w sosnowych borach.

Kraje i miasta, które muszą zostać bez imienia, bo komu
wytłumaczę, dlaczego i ile razy zmieniano ich sztandary i godła?

Wcześnie otrzymujemy wezwanie, ale pozostaje
niezrozumiałe i tylko nieprędko okazuje się, jak bardzo
byliśmy posłuszni.

Rzeka toczy swój nurt jak dawniej pod kościołem
Świętego Jakuba, jestem tam razem z moją głupotą,
która mnie zawstydza, choć gdybym był mądrzejszy,
i tak by to nie pomogło.

Capri

I am a child who receives First Communion in Wilno and afterwards drinks cocoa served by zealous Catholic ladies.

I am an old man who remembers that day in June: the ecstasy of the sinless, white tablecloth and the sun on vases filled with peonies.

Qu'as tu fait, qu'as tu fait de ta vie?—voices call, in various languages gathered in your wanderings through two continents. What did you do with your life, what did you do?

Slowly, cautiously, now when destiny is fulfilled I enter the scenes of the bygone time,

Of my century, in which, and not in any other, I was ordered to be born, to work, and to leave a trace.

Those Catholic ladies existed, after all, and if I returned there now, identical but with another consciousness, I would look intensely at their faces, trying to prevent their fading away.

Also, carriages and rumps of horses illuminated by lightning or by the pulsating flow of distant artillery.

Chimneyless huts, smoke billowing on their roofs, and wide sandy roads in pine forests.

Countries and cities that must remain without name, for how can I explain why and how many times they changed their banners and emblems?

Early we receive a call, yet it remains incomprehensible, and only late do we discover how obedient we were.

The river rolls its waters past, as it did long ago, the church of St. Jacob, I am there together with my foolishness, which is shameful, but had I been wiser it would not have helped.

Now I know foolishness is necessary in all our designs, so that they are realized, awkwardly and incompletely.

Wiem teraz, że głupota jest potrzebna wszelkim zamiarom,
żeby spełniały się, krzywo i niezupełnie.

I ta rzeka, razem z usypiskami śmieci, z początkami
skażenia, płynie przez moją młodość, ostrzegając
przed tęsknotą do idealnych miejsc na ziemi.

A jednak tam, na tej rzece, zaznałem pełnego szczęścia,
które jest ekstazą poza jakąkolwiek myślą i troską,
i dotychczas trwa w moim ciele.

Tak jak szczęście nad małą rzeką mego dzieciństwa,
w parku, którego dęby i lipy miano ściąć
z woli barbarzyńskich zdobywców.

Błogosławię was, rzeki, wymawiam wasze imiona, tak jak
wymawiała je moja matka, z szacunkiem a pieszczotliwie.

Kto ośmieli się powiedzieć: zostałem wezwany, i dlatego
Moc uchroniła mnie od kul prujących obok mnie piasek
albo rysujących desenie na murze koło mojej głowy.

Od sennego zatrzymania do wyjaśnienia, które kończy się
podróżą w bydlęcym wagonie, tam skąd nie wracają żywi?

Od zastosowania się do rozkazu, żeby zarejestrować się,
kiedy ocaleją nieposłuszni?

Tak, ale oni, czyż każdy z nich nie modlił się do swego
Boga, prosząc błagalnie: uratuj!

I słońce wschodziło nad obozami tortur, i dotychczas
ich oczami widzę, jak wschodzi.

Dobijam osiemdziesiątki, lecę z San Francisco
do Frankfurtu i Rzymu, pasażer, który niegdyś jechał
trzy dni bryką z Szetejń do Wilna.

Lecę Lufthansą, jaka miła stewardessa, oni tutaj
tak cywilizowani, że byłoby nietaktem pamiętać, kim byli.

And this river, together with heaps of garbage on its banks, with the beginning of pollution, flows through my youth, a warning against the longing for ideal places on the earth.

Yet, there, on that river, I experienced full happiness, a ravishment beyond any thought or concern, still lasting in my body.

Just like the happiness by the small river of my childhood, in a park whose oaks and lindens were to be cut down by the will of barbarous conquerors.

I bless you, rivers, I pronounce your names in the way my mother pronounced them, with respect yet tenderly.

Who will dare to say: I was called and that's the reason Might protected me from bullets ripping up the sand close by me, or drawing patterns on the wall above my head.

From a casual arrest just for elucidating the case, which would end with a journey in a freight car to a place from which the living do not return?

From obeying the order to register, when only the disobedient would survive?

Yes, but what about them, has not every one of them prayed to his God, begging: Save me!

And the sun was rising over camps of torture and even now with their eyes I see it rising.

I reach eighty, I fly from San Francisco to Frankfurt and Rome, a passenger who once traveled three days by horse carriage from Szetejnie to Wilno.

I fly Lufthansa, how nice that stewardess is, all of them are so civilized that it would be tactless to remember who they were.

On Capri a rejoicing and banqueting humanity invites me to take part in the festivity of incessant renewal.

Na Capri wesycąca się i ucztująca ludzkość zaprasza mnie
do udziału w festynie bezustannej odnowy.

Obnażone ramiona kobiet, ręka prowadząca smyczek
pośród wieczorowych strojów, jarzeń i fleszów otwierają
dla mnie chwilę zgody z frywolnością naszego gatunku.

Wiara w Niebo i Piekło, labirynty filozofii, umartwianie
ciała postami nie są im potrzebne.

Jednak boją się znaku, że zbliża się nieuchronne:
guza na piersi, krwi w moczu, za wysokiego ciśnienia.

Wtedy na pewno wiedzą, że wszyscy jesteśmy wezwani,
każdy i każda rozmyśla o niezwykłości osobnego losu.

Razem z moją epoką odchodzę przygotowany na wyrok,
który mnie policzy między jej fantomy.

Jeżeli coś zrobiłem, to tylko, pobożny chłopczyk, ścigając
pod przebraniem utraconą Rzeczywistość.

Prawdziwą obecność Bóstwa w naszym ciele i krwi, które
są jednocześnie chlebem i winem.

Olbrzymiejące wezwanie Poszczególnego, na przekór
ziemskiemu prawu nicestwienia pamięci.

Naked arms of women, a hand driving a bow across the strings, among evening gowns, glares and flashes open for me a moment of assent to the frivolity of our species.

They do not need a belief in Heaven and Hell, labyrinths of philosophy, mortification of the flesh by fasting.

And yet they are afraid of a sign that the unavoidable is close: a tumor in the breast, blood in the urine, high blood pressure.

Then they know for certain that all of us are called, and each of us meditates on the extravagance of having a separate fate.

Together with my epoch I go away, prepared for a verdict, that will count me among its phantoms.

If I accomplished anything, it was only when I, a pious boy, chased after the disguises of the lost Reality.

After the real presence of divinity in our flesh and blood which are at the same time bread and wine,

Hearing the immense call of the Particular, despite the earthly law that sentences memory to extinction.

Panorama Capri   Panorama of Capri

Dwór

Z poematu Litwa, po pięćdziesięciu dwóch latach

Nie ma domu, jest park, choć stare drzewa wycięto
I gąszcz porasta ślady dawnych ścieżek.
Rozebrano świren, biały, zamczysty,
Ze sklepami czyli piwnicami, w których stały półki na jabłka zimowe.
Takie jak dawniej koleiny drogi w dół:
Pamiętałem, gdzie skręcić, ale nie poznałem rzeki;
Jej kolor jak rdzawej samochodowej oliwy,
Ani szuwarów, ani lilii wodnych.
Przeminęła lipowa aleja, niegdyś droga pszczołom,
I sady, kraina os i szerszeni opitych słodyczą,
Zmurszały i zapadły się w oset i pokrzywy.
To miejsce i ja, choć daleko stąd
Równocześnie, rok po roku, traciliśmy liście,
Zasypywały nas śniegi, ubywało nas.
I znów razem jesteśmy, we wspólnej starości.

Interesuje mnie dymek, z rury zamiast komina,
Nad baraczkiem skleconym niezgrabnie z desek i cegły
W zieleni chwastów i krzaków – poznaję *sambucus nigra*.

Chwała życiu, za to, że trwa, ubogo, byle jak.
Jedli te swoje kluski i kartofle
I mieli przynajmniej czym palić w nasze długie zimy.

The Manor

From the poem *Lithuania, After Fifty-two Years*

There is no house, only the park, though the oldest trees have been
    cut down.
And a thicket overgrows the traces of former alleys.
The granary has been dismantled, white, castlelike,
With cellars where the shelves harbored winter apples.
The same ruts as long ago on the sloping road,
I remembered where to turn but did not recognize the river.
Its color like that of reddish automobile oil,
No rushes and no lily pads.
The linden alley, dear to bees, is gone
And the orchards, a realm of wasps and hornets drunk with sweetness,
Disappeared, crumbled into thistles and nettles.
This place and I, though far away,
Simultaneously, year after year, were losing leaves.
Were covered with snow, were waning.
And again we are gathered in our common old age.

My interest turns to the smoke from a metal pipe instead of a chimney
Above a cabin haphazardly patched up with boards and bricks
In the green of weeds and bushes—I recognize *Sambucus nigra*.

Blessed be life, for lasting, poorly, anyhow.
They were eating their noodles and potatoes
And at least had the use of all the old gardens
To cut wood for burning in our long winters.

Dwór w Szetejnach
gdzie urodził się
Czesław Miłosz

The manor at Szetejny
where Czesław Miłosz
was born

Miasto młodości

Z poematu *Litwa, po pięćdziesięciu dwóch latach*

Przystojniej byłoby nie żyć. A żyć nie jest przystojnie,
Powiada ten, kto wrócił po bardzo wielu latach
Do miasta swojej młodości. Nie było nikogo
Z tych, którzy kiedyś chodzili tymi ulicami,
I teraz nic nie mieli oprócz jego oczu.
Potykając się, szedł i patrzył zamiast nich
Na światło, które kochali, na bzy, które znów kwitły.
Jego nogi, bądź co bądź, były doskonalsze
Niż nogi bez istnienia. Płuca wdychały powietrze
Jak zwykle u żywych, serce biło
Zdumiewając, że bije. W ciele teraz biegła
Ich krew, jego arterie żywiły ich tlenem.
W sobie czuł ich wątroby, trzustki i jelita.
Męskość i żeńskość, minione, w nim się spotykały,
I każdy wstyd, każdy smutek, każda miłość.
Jeżeli nam dostępne rozumienie,
Myślał, to w jednej współczującej chwili,
Kiedy co mnie od nich oddzielało, ginie,
I deszcz kropel z kiści bzu sypie się na twarz
Jego, jej i moją równocześnie.

City of my Youth

From the poem *Lithuania, After Fifty-two Years*

It would be more decorous not to live. To live is not decorous,
Says he who after many years
Returned to the city of his youth. There was no one left
Of those who once walked these streets.
And now they had nothing, except his eyes.
Stumbling, he walked and looked, instead of them,
On the light they had loved, on the lilacs again in bloom.
His legs were, after all, more perfect
Than nonexistent legs. His lungs breathed in air
As is usual with the living. His heart was beating,
Surprising him with its beating, in his body
Their blood flowed, his arteries fed them with oxygen.
He felt, inside, their livers, spleens, intestines.
Masculinity and femininity, elapsed, met in him
And every shame, every grief, every love.
If ever we accede to enlightenment,
He thought, it is in one compassionate moment
When what separated them from me vanishes
And a shower of drops from a bunch of lilacs
Pours on my face, and hers, and his, at the same time.

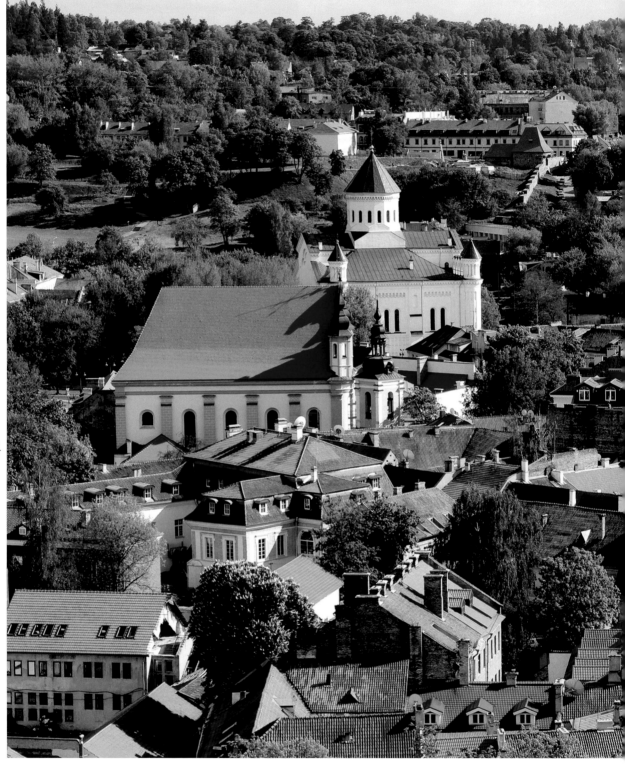

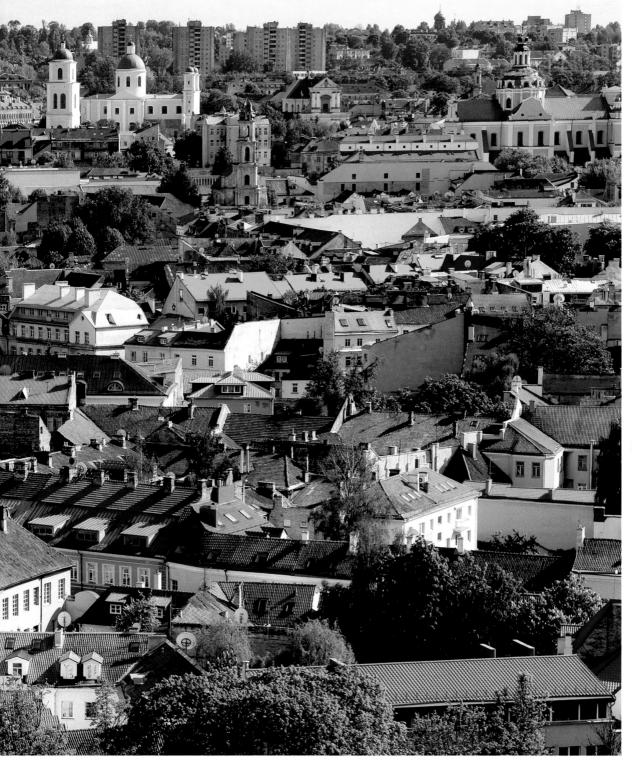

Współczesna
panorama Wilna

Contemporary view
of Vilnius

Pierson College

Kute żelazo bramy Pierson College
I postój do niczego niepodobny
W tamtym minionym życiu. Zapomnienie
I pamiętanie. Razem, jak możliwe?
Ten stary profesor, z akcentem,
Który ma seminarium o *Biesach* i czyta
W swojej Beinecke Library rękopisy
Józefa Conrada: *Jądro ciemności*
Pośpiesznie ołówkiem pisane, staranny
Skrypt powieści *Razumow* (*W oczach Zachodu*),
Czy jest tożsamy z chłopcem, który z Bouffałowej
Odprowadza Ludwika Małą Pohulanką
A stamtąd do czytelni im. Tomasza Zana,
Gdzie bierze książkę morskich przygód?
Na samej granicy. Przed spadnięciem
Teraz, tu. Zanim „ja" zmieni się w „on".

Jakość przechodzi w ilość z końcem wieku
I żyć na ziemi nie jest już to samo,
Gorzej czy lepiej, kto to wie, inaczej.
Choć dla nich, tych studentów, żaden Ludwik
Nigdy nie istniał i stary profesor
Trochę ich śmieszy zaciekłością tonu,
Jakby od prawdy zależał los świata.

Pierson College

The wrought iron of the gate at Pierson College
And my stint there, which resembles
Nothing in my past life. Forgetting
And remembering. Both, how strange.
That old professor with an accent,
Who gives a seminar on *The Possessed* and reads
In the Beinecke Library manuscripts:
Joseph Conrad's *Heart of Darkness*
Hurriedly written with a pencil, a neat
Script of the novel *Razumov*
Called later *Under Western Eyes*.
Is he identical with a boy
Who, starting from Bouffalowa Hill
Would walk Louis home along Mala Pohulanka
And then goes to Tomasz Zan Library
To get a book of sea adventures?
On the very edge. Just before falling:
Now, here. Before "I" changes into "he."

Quality passes into quantity at the century's end
For worse or better, who knows, just different.
Though for those students no Louis ever
Existed and the old professor's passionate tone
Is a bit ridiculous as if the fate of the world depended on truth.

Budynki Pierson
College w Yale

Pierson College,
Yale

Przeszłość

I

Las był nad wodą i ogromna cisza.
Perkoz czubaty w jeziornej zatoce,
Stadko cyranek w środku jasnej toni.
I ten, który kazał tutaj zbudować dom,
Myślący o karczunku puszczy dębowej,
O klepkach i wanczosach, które Niemnem spławi,
O dukatach liczonych wieczorem przy świecy.

II

Jesiony parku ucichły po burzy.
Panienka zbiega ścieżką na miejsce kąpielowe,
Ściąga suknię przez głowę, rzuca na ławeczkę
(Nie nosi majtek, choć Francuzica krzyczy),
I jest rozkosz dotyku miękkiej wody,
Kiedy płynie, po psiemu, jak nauczyła się sama,
Na jasność, tam gdzie nie ma cienia drzew.

III

Towarzystwo sadowi się w łódce, panowie i panie
W kostiumach kąpielowych. Tak ich zapamięta
Chłopczyk, który na dłoni ma krótką linię życia.
Wieczorem uczy się tanga. Pani Irena
Prowadzi go z uśmieszkiem dojrzałej kobiety
Wtajemniczającej młodego mężczyznę.
Za drzwiami na werandę hukają sowy.

House in Krasnogruda

I

The woods reached water and there was immense silence.
A crested grebe popped up on the surface of the lake,
In deep water, very still, a flock of teals.
That's what was seen by a man on the shore
Who decided to build his house here
And to cut down the primeval oak forest.
He was thinking of timber he would float down the Niemen
And of thalers he would count by candlelight.

II

The ash trees in the park calmed down after the storm.
The young lady runs down a path to the lake.
She pulls her dress over her head
(She does not wear panties though Mademoiselle gets angry),
And there is a delight in the waters soft touch
When she swims, dog-style, self-taught,
Toward brightness, beyond the shade of the trees.

III

The company settles into a boat, ladies and gentlemen
In swimming suits. Just as they will be remembered
By a frail boy whose lifeline is short.
In the evening he learns to dance the tango. Mrs. Irena
Leads him, with that smirk of a mature woman
Who initiates a young male.
Out the door to the veranda owls are hooting.

Stare drzewo
w parku
w Krasnogrudzie

A vintage tree
in the park at
Krasnogruda

187

Droga prowadząca
do dawnego dworu
w Krasnogrudzie

Lane leading to
the manor at
Krasnogruda

W Szetejniach

I

Ty byłaś mój początek i znów jestem z Tobą, tutaj gdzie
nauczyłem się czterech stron świata.

Nisko za drzewami strona Rzeki, za mną i budynkami strona
Lasu, na prawo strona Świętego Brodu, na lewo Kuźni i Promu.

Gdziekolwiek wędrowałem, po jakich kontynentach, zawsze
twarzą byłem zwrócony do Rzeki.

Czując aromat i smak rozgryzionej białoczerwonej soczystości
ajeru.

Słysząc stare pogańskie pieśni żeńców wracających z pola, kiedy
słońce pogodnych wieczorów dogasało za pagórkami.

W zdziczałej zieleni mógłbym wskazać miejsce altany, gdzie
zmuszałaś mnie, żebym stawiał pierwsze koślawe litery.

A ja wyrywałem się, uciekając do moich kryjówek, bo byłem
pewny, że pisać liter nigdy nie będę umiał.

Nie spodziewałem się jednak również takiej wiedzy:
że rozpadają się w pył kości, mijają dziesiątki lat, a trwa
ta sama obecność.

Że możemy, tak jak ja z Tobą, przebywać w krainie wiecznych
luster, brodząc w nie koszonych trawach równocześnie.

In Szetejnie

I

You were my beginning and again I am with you, here, where I learned the four quarters of the globe.

Below, behind the trees, the River's quarter; to the back, behind the buildings, the quarter of the Forest; to the right, the quarter of the Holy Ford; to the left, the quarter of the Smithy and the Ferry.

Wherever I wandered, through whatever continents, my face was always turned to the River.

Feeling in my mouth the taste and the scent of the rosewhite flesh of calamus.

Hearing old pagan songs of harvesters returning from the fields, while the sun on quiet evenings was dying out behind the hills.

In the greenery gone wild I could still locate the place of an arbor where you forced me to draw my first awkward letters.

And I would try to escape to my hideouts, for I was certain that I would never learn how to write.

I did not expect, either, to learn that though bones fall into dust, and dozens of years pass, there is still the same presence.

That we could, as we do, live in the realm of eternal mirrors, working our way at the same time through unmowed grasses.

II

Trzymałaś lejce i dwoje nas jechało jednokonną bryczką
w gościnę do wielkiej wioski pod lasem.

Gałęzie jej jabłoni i grusz ugięte pod nadmiarem owoców,
ganki domów, ozdobne, nad ogródkami malw i ruty.

Twoi dawni uczniowie, teraz gospodarze, podejmowali nas
rozmową o urodzajach, kobiety pokazywały swoje warsztaty
tkackie i deliberowałyście długo o kolorach osnowy i odetki.

Na stole wędliny, plastry miodu w glinianej misie, i piłem kwas
chlebowy z blaszanej kwarty.

Poprosiłem kierownika kołchozu, żeby pokazał mi tę wioskę,
zawiózł na pola puste aż po las i zatrzymał auto przed dużym
głazem.

„Tu była wioska Peiksva", powiedział, nie bez triumfu w głosie,
jak to u tych, co są zawsze z wygrywającymi.

Zauważyłem, że jedna część głazu była odłupana, próbowano
więc rozbić kamień młotem, żeby znikł nawet ten ślad.

II

You held the reins and we were riding, you and me, in a one-horse britzka, for a visit to the big village by the forest.

The branches of its apple trees and pear trees were bowed down under the weight of fruits, ornate carved porches stood out above little gardens of mallow and rue.

Your former pupils, now farmers, entertained us with talks of crops, women showed their looms and deliberated with you about the colors of the warp and the woof.

On the table slices of ham and sausage, a honeycomb in a clay bowl, and I was drinking *kvas* from a tin cup.

I asked the director of the collective farm to show me that village; he took me to fields empty up to the edge of the forest, stopping the car before a huge boulder.

"Here was the village Peiksva" he said, not without triumph in his voice, as is usual with those on the winning side.

I noticed that one part of the boulder was hacked away, somebody had tried to smash the stone with a hammer, so that not even that trace might remain.

Szetejnie, siedziba
Fundacji Miejsc
Rodzinnych
Czesława Miłosza

Szetejnie (Šeteniu),
the house of The
Foundation of Czesław
Miłosz's Birth Place

Kościół w Opitołokach,
gdzie Miłosz jeździł
z dziadkami na
nabożeństwa

Opitołoki Church.
Miłosz attended
services here with
his grandparents

Pelikany (Costa Rica)

Podziwiam bezustanną pracę pelikanów.
Ich niskie loty nad powierzchnią morza,
Ważenie się w miejscu, nagłe pikowanie
Po upatrzoną rybę, biel wyplusku.
I tak od szóstej rano. Co im widoki,
Co im niebieski ocean, palmy i horyzont.
(Tam, kiedy odpływ, podobne dalekim okrętom
Ukazują się skały i goreją
Barwami żółci, róży i fioletu.)
Nie zbliżaj się do prawdy. Żyj wyobrażeniem
Niewidzialnych postaci, które mieszkają nad słońcem
Swobodne, obojętne na głód i konieczność.

Pelicans

I marvel at the incessant labor of pelicans.
Their low flights over the surface of the sea,
Poising in one place, suddenly diving
For a singled-out fish, the white splash—
All day, from six in the morning. What are views
For them, what is blue ocean, a palm tree, the horizon
(Where, at the ebb, like distant ships,
Rocks crop out and blaze,
Yellow, red, and purple)?
Don't come too close to the truth. Live with a representation
Of invisible beings who dwell above the sun,
Free, indifferent to necessity and hunger.

Stado pelikanów   A flock of pelicans

197

W mieście

Miasto było ukochane i szczęśliwe,
Zawsze w czerwcowych piwoniach i późnych bzach,
Pnące się barokowymi wieżami ku niebu.
Powrócić z majówki i stawiać w wazach bukiety,
Za oknem widzieć ulicę, którą kiedyś szło się do szkoły
(Na murach ostre granice słońca i cienia).
Kajakowanie razem na jeziorach.
Miłosne wyprawy na wyspy porośnięte łozą.
Narzeczeństwo i ślub u Świętego Jerzego.
A później konfraternia ucztuje u mnie na chrzcinach.
Cieszą mnie turnieje muzyków, krasomówców, poetów,
Brawa tłumu, kiedy ulicą przeciąga Pochód Smoka.
Co niedziela zasiadałem w kolatorskiej ławce.
Nosiłem togę i złoty łańcuch, dar współobywateli.
Starzałem się, wiedząc, że moje wnuki zostaną miastu wierne.

Gdyby tak było naprawdę. Ale wywiało mnie
Za morza i oceany. Żegnaj, utracony losie.
Żegnaj, miasto mego bólu. Żegnajcie, żegnajcie.

In a City

That city was happy and much beloved.
Always in peonies and late lilacs.
Its baroque towers soaring toward the sky.
To return from an excursion and arrange bouquets in a vase.
To see from the window the street you once took going to school.
(On the wall sharply delineated zones of sun and shadow.)
Canoeing together on the lakes.
Romantic outings to islands overgrown with osiers.
Betrothal, and the wedding at St. George's.
Our fraternity of writers celebrating a baptism at my home.

Tournaments of musicians, orators, poets, suited my taste,
And the applause of the crowd when the Dragon's Parade passed on the street.

Every Sunday I sat in the patron's pew at church.
I wore a toga and a golden chain, the gifts of my fellow citizens.

I grew old, certain that my grandchildren would remain faithful to their city.

Would it were true. But I was blown away,
Beyond oceans and seas. Farewell, lost destiny.

Farewell, city of my sorrow, farewell, farewell.

Wilno, zdjęcie
archiwalne

Archival photo of
Wilno

Ostra Brama
w Wilnie, zdjęcie
archiwalne

Archival photo of
Ostra Brama, Wilno
(Aušros Vartai, Vilnius)

Na moje 88 urodziny

Miasto gęste od krytych pasaży, wąskich
placyków, arkad,
schodzące tarasami ku morskiej zatoce.

I ja, zapatrzony w młode piękno,
cielesne i nietrwałe,
jego ruch taneczny wśród starych kamieni.

Kolory sukien według letniej mody,
stuk pantofelka na dallach sprzed stuleci,
cieszą mnie swoim obrzędem powrotu.

Dawno zostawiłem za sobą
zwiedzania katedr i wież warownych.
Jestem jak ten, kto widzi, a jednak sam nie przemija,
duch lotny mimo siwizny i chorób starości.

Ocalony, bo z nim wieczne i boskie zdziwienie.

Genua, 30 czerwca 1999

For my Eighty-eighth Birthday

A city dense with covered passageways, narrow
little squares, arcades,
terraces descending to a bay.

And I, taken by youthful beauty,
bodily, not durable,
its dancing movement among ancient stones.

The colors of summer dresses,
the tap of a slipper's heel in centuries-old lanes
give the pleasure of a sense of eternal recurrence.

Long ago I left behind
the visiting of cathedrals and fortified towers.
I am like someone who just sees and doesn't pass away,
a lofty spirit despite his gray head and the afflictions of age.

Saved by his amazement, eternal and divine.

Genoa, 30 June 1999

Panorama Genui   Panorama of Genoa

Vipera Berus

Chciałem powiedzieć prawdę,
i nie udawało się.
Próbowałem spowiedzi,
ale nic nie umiałem wyznać.
Nie wierzyłem w psychoanalizę,
bo dopiero bym nakłamał.
I dalej noszę w sobie zwiniętą żmiję winy.
A to dla mnie wcale nie abstrakcja.
Stoję na mszarynie w Raudonce koło Jaszun
i ogon żmii właśnie znika w kępie mchu
pod karłowatą sosenką,
kiedy naciskam cyngiel
i wywalam ładunek śrutu z berdany.
Dotychczas nie wiem, czy któreś ziarnko ołowiu
trafiło w obrzydły biały brzuch
albo w zygzak na grzbiecie *Vipera berus*.
W każdym razie łatwiej to opisywać
niż duchowe przygody.

Vipera Berus

I wanted to tell the truth
and did not succeed.
I tried confession
and I could not confess anything.
I did not believe in psychotherapy.
I knew I would lie too much.
So I carried in myself a coiled adder of guilt.
This is not for me an abstraction.
I stand in a marsh in Raudonka near Jaszuny
and the tail of an adder is just disappearing
in a clump of moss under a dwarf pine,
as I pull the trigger and spray lead from my shotgun.
Even today I do not know whether a single pellet
hit the hideous white belly
or the zigzag-striped back of *Vipera berus*.
In any case, it's easier to describe this
than the psyche's adventures.

Dawne
zabudowania
pałacowe
w Jaszunach

Grounds of the
old country
house at Jaszuny
(Jašiūnai)

W Krakowie

Na granicy świata i zaświatów, w Krakowie.
Tup tup po wytartych flizach kościołów,
Pokolenie za pokoleniem. Tutaj coś zrozumiałem
Z obyczaju moich sióstr i braci.
Nagość kobiety spotyka się z nagością mężczyzny
I dopełnia siebie swoją drugą połową
Cielesną albo i boską,
Co pewnie stanowi jedno,
Jak nam wyjawia Pieśń nad pieśniami.
I czyż każde z nich nie musi wtulać się w Wiecznie Żyjącego,
W jego zapach jabłek, szafranu, cynamonu, goździków, kadzidła,
W Niego, który jest i który przychodzi
Z jasnością jarzących się woskowych świec?
I On, podzielny, dla każdego osobny,
Przyjmuje w opłatku jego i ją do wnętrza, w ich własny płomień.
Przesłaniają blask tkaniną swoich mszystomglistych strojów,
Noszą maski z jedwabiu, porcelany, mosiądzu i srebra,
Żeby nie myliły twarze, pospolite.
Krzyżyki na marmurze będą ozdabiać ich groby.

In Krakow

On the border of this world and the beyond, in Krakow.
Tap-tap on the foot-worn flagstones of churches,
Generation after generation. Here I came to understand
Something of the habits of my brothers and sisters.
The nakedness of a woman meets the nakedness of a man
And completes itself with its second half
Carnal, or even divine,
Which is likely the same thing,
As revealed to us in the Song of Songs.
And must not every one of them nestle down into the Eternally Living,
Into His scent of apples, saffron, cloves, and incense,
Into Him who is and is coming
With the brightness of glowing wax candles?
And He, divisible, separate for each of them,
Receives them, him and her, in a wafer, into their own flame.
They shade the glow of it with their mossy-misty costumes,
They wear masks of silk, porcelain, brass, and silver,
So as not to mislead with their own, ordinary faces.
Little crosses on the marble will adorn their tombs.

Widok na
krakowski rynek
spod arkad
Sukiennic

View of the Market
Square, Kraków,
from the Cloth
Hall arcade

Werki

Rożek, bęben i viola, muzykowanie
W domu na górze, między lasami, jesienią.
Widok stamtąd szeroki na zakola rzeki.

Ciągle jeszcze chciałbym poprawiać ten świat.
Ale myślę głównie o nich, a wszyscy umarli.
I o ich nieznajomej krainie.
Jej geografia, mówi Swedenborg, nie da się przenieść na mapy,
Ponieważ tam każdy jaki był, tak i widzi.
A nawet zdarzają się pomyłki, na przykład wędrujesz
I nie wiesz, że już jesteś po drugiej stronie.

Tak i ja, może tylko śnię te rudozłote lasy,
Błysk rzeki, w której pływałem za młodu,
Październik moich wierszy z powietrzem jak wino.

Księża nauczali o zbawieniu i potępieniu,
Mnie nic o tym teraz nie jest wiadomo.
Czułem na ramieniu rękę mego Przewodnika,
Ale on nie wspominał o karze, nie obiecywał nagrody.

Werki pod Wilnem, październik 2000

Werki*

An English horn, a drum, a viola making music
In a house on a hill amidst forests in autumn.
A large view from there onto bends of the river.

I still want to correct this world,
Yet I think mostly of them, and they have all died.
Also about their unknown country.
Its geography, says Swedenborg, cannot be transferred to maps.
For there, as one has been, so one sees.
And it is possible even there to make mistakes; for instance, to wander about
Without realizing you are already on the other side.

As I, perhaps, just dream those rusty-golden forests,
The glitter of the river in which I swam in my youth,
The October from my poems with its air like wine.

The priests taught us about salvation and damnation.
Now I have not the slightest notion of these things.
I have felt on my shoulder the hand of my Guide,
Yet He didn't mention punishment, didn't promise a reward.

*
Werki is a small area near Vilnius, Lithuania

Pałac biskupów
litewskich
w Werkach (obecnie
dzielnica Wilna)

The bishops' palace
at Werki (now
Verkių, within the
city of Vilnius)

Źródła i tłumaczenie wierszy / Sources and translation of the poems

Wiersze Czesława Miłosza w języku polskim, zamieszczone w publikacji pochodzą – z jednym wyjątkiem – z wydania *Dzieł zebranych*, a lokalizowane są następująco: / All the poems of Czesław Miłosz quoted in this book in the original Polish (except for one poem) come from his collected works *Dzieła zebrane*, in which they are located as follows:

Motto: fragment poematu / from the poem *Gdzie wschodzi słońce i kędy zapada*, VI. *Oskarżyciel, Wiersze*, t. / vol. III, Kraków 2003, s. / pp. 169–170; *Campo di Fiori, Wiersze*, t. / vol. I, Kraków 2001, s. / pp. 191–193; *Biedny chrześcijanin patrzy na getto, Wiersze*, t. / vol. I, s. / pp. 213–214; *W Warszawie, Wiersze*, t. / vol. I, s. / pp. 229–230; *Podróż, Wiersze*, t. / vol. II, Kraków 2002, s. / pp. 40–41; *W Mediolanie, Wiersze* t. / vol. II, s. / pp. 295–297; *Mittelbergheim, Wiersze*, t. / vol. II, s. / pp. 139–140; *Zamek Sinobrodego*, z poematu / from the poem *Kroniki miasta Pornic, Wiersze*, t. / vol. II, s. / pp. 300–301; *Madonna Ocalenia*, z poematu / from the poem *Kroniki miasta Pornic, Wiersze*, t. / vol. II, s. / pp. 303–304; *Dużo śpię, Wiersze*, t. / vol. III, Kraków 2003, s. / pp. 25–26; *W Dolinie Śmierci…*, z poematu / from the poem *Miasto bez imienia*, cz. 2, *Wiersze*, t. / vol. III, s. / pp. 42–43; *Czemuż już tylko…*, z poematu / from the poem *Miasto bez imienia*, cz. 12, *Wiersze* t. / vol. III, s. / pp. 48–50; *Biel, Wiersze*, t. / vol. III, s. / p. 72; *Tam urodziłem się…*, z poematu / from the poem *Gdzie wschodzi słońce i kędy zapada*, III. *Lauda, Wiersze*, t. / vol. III, s. / pp. 137–138; *Alpejska gwiazda spadająca…*, z poematu / from the poem *Gdzie wschodzi słońce i kędy zapada*, II. *Pamiętnik naturalisty, Wiersze*, t. / vol. III, s. / pp. 128–129; *Pewnie dlatego…*, z poematu / from the poem *Gdzie wschodzi słońce i kędy zapada*, II. *Pamiętnik naturalisty, Wiersze*, t. / vol. III, s. / pp. 134–135; *Uliczka prawie na wprost…*, z poematu / from the poem *Gdzie wschodzi słońce i kędy zapada*, VII. *Dzwony w zimie, Wiersze*, t. / vol. III, s. / pp. 175–176; *Czarodziejska góra, Wiersze* t. / vol. III, s. / pp. 188–189; *Strona 10*, z poematu / from the poem *Osobny zeszyt, Wiersze* t. / vol. III, s. / p. 227; *Strona 13*, z poematu / from the poem *Osobny zeszyt, Wiersze* t. / vol. III, s. / pp. 228–229; *Strona 20*, z poematu / from the poem *Osobny zeszyt, Wiersze* t. / vol. III, s. / pp. 237–239; *Strona 24* z poematu / from the poem *Osobny zeszyt, Wiersze* t. / vol. III, s. / pp. 239–240; *Rue Descartes, Wiersze*, t. / vol. III, s. / pp. 272–273; *Chłopiec, Wiersze*, t. / vol. IV, Kraków 2004, s. / p. 48; *W mieście Salem, Wiersze*, t. / vol. IV, s. / p. 50; *O świcie, Wiersze*, t. / vol. IV, s. / p. 53; *Caffè Greco, Wiersze*, t. / vol. IV, s. / pp. 159–160; *W Yale, Wiersze*, t. / vol. IV, s. / pp. 234–236; *Beinecke Library, Wiersze*, t. / vol. IV, s. / p. 240; *Szerokie palce paproci… Wiersze*, t. / vol. IV, s. / p. 280; *Capri, Wiersze*, t. / vol. V, Kraków 2005, s. / pp. 14–17; *Dwór*, z poematu / from the poem *Litwa po pięćdziesięciu dwóch latach, Wiersze*, t. / vol. V, s. / pp. 19–20; *Miasto młodości*, z poematu / from the poem *Litwa po pięćdziesięciu dwóch latach, Wiersze*, t. / vol. V, s. / p. 22; *Pierson College, Wiersze*, t. / vol. V, s. / p. 36; *Przeszłość, Wiersze*, t. / vol. V, s. / p. 39; *W Szetejniach, Wiersze*, t. / vol. V, s. / pp. 78–80; *Pelikany (Costa Rica), Piesek przydrożny*, Kraków 1997, s. / p. 68; *W mieście, Wiersze*, t. / vol. V, s. / p. 96; *Na moje 88 urodziny, Wiersze*, t. / vol. V, s. / p. 99; *Vipera berus, Wiersze*, t. / vol. V, s. / p. 114; *W Krakowie, Wiersze*, t. / vol. V, s. / p. 172; *Werki, Wiersze*, t. / vol. V, s. / p. 174.

Angielska wersja cytowanych wierszy pochodzi z tomu: Czesław Milosz, *New and Selected Poems (1931-2001)*, HarperCollinsPublishers, New York 2001. Wyjątek stanowi wiersz *Pelicans* pochodzący z tomu: Czesław Milosz, *Road-side Dog*, New York, 1998, p. 42. Do zbioru weszły wyłącznie wiersze, w których tłumaczeniu brał udział Czesław Miłosz. Zachowano rozbieżności występujące pomiędzy polską i angielską wersją kilku utworów. / The English translations of the poems quoted come from the volume Czesław Milosz, *New and Selected Poems (1931-2001)*, New York: HarperCollinsPublishers, 2001. The poem *Pelicans* is the only exception, and appeared in Czesław Milosz, *Road-side Dog*, New York, 1998, p. 42. Only poems which were translated with the participation of Czesław Milosz have been selected for this book, and the discrepancies between the Polish and English versions appearing in a few of them have been preserved.

Tłumaczenie wierszy na język angielski: / English translation of poems:
Czesław Miłosz: *A Poor Christian Looks at the Ghetto*, *In Milan*, *I Sleep a Lot*, *A Boy*, *In Salem*, *At Dawn*, *Caffè Greco*, *At Yale*, *Beinecke Library*, *** [Large Finger-like…], *Capri*, *The Manor* (from the poem *Lithuania, After Fifty-two Years*), *City of my Youth* (from the poem *Lithuania, After Fifty-two Years*), *Pierson College*, *House in Krasnogruda*, *In Szetejnie*, *Pelicans*, *In a City*, *For my Eighty-eighth Birthday*, *Vipera Berus*, *In Krakow*, *Werki*;
Czesław Miłosz and Lillian Vallee: *Bluebeard's Castle* (from the poem *Chronicles of the Town of Pornic*), *Our Lady of Recovery* (from the poem *Chronicles of the Town of Pornic*), *Alpine Shootingstar* (Dodecatheon alpinum) (from the poem *From the Rising of the Sun*), [That is Probably Why…] (from the poem *From the Rising of the Sun*), [The Narrow Street…] (from the poem *From the Rising of the Sun*), *A Magic Mountain*;
Renata Gorczynski and Robert Hass: *Bypassing rue Descartes*, *Page 10* [Sacramento River…] (from the poem *The Separate Notebooks*), *Page 13* [I did not Choose California…] (from the poem *The Separate Notebooks*), *Page 20* [The Earth in its Nakedness…] (from the poem *The Separate Notebooks*), *Page 24* [If not Now, When?…] (from the poem *The Separate Notebooks*);
Czesław Miłosz and Richard Lourie: *Mittelbergheim*, *Whiteness*;
Czesław Miłosz, Robert Hass, Robert Pinsky, and Renata Gorczynski: *2* [In Death Valley…] (from the poem *City without a Name*) *12* [Why Should…] (from the poem *City without a Name*);
Czesław Miłosz and Robert Hass: *The Journey*;
Czesław Miłosz, Robert Hass, and Madeline Levine: *In Warsaw*;
Czesław Miłosz, Leonard Nathan, and Robert Hass: [I was Born There…] (from the poem *From the Rising of the Sun*);
Louis Iribarne and David Brookes: *Campo dei Fiori*;
Czesław Miłosz, Robert Hass, Farrar, Straus, and Giroux: *Pelicans*.

Indeks wybranych nazw miejscowych

Beinecke Library

Biblioteka na Uniwersytecie w Yale, jeden z największych budynków na świecie, gromadzi książki rzadkie i rękopisy literackie (ok. 500 tys. woluminów, kilka milionów rękopisów); znajduje się tutaj największa i najważniejsza kolekcja „miłoszianów".

Berkeley

Miasto w USA w stanie Kalifornia, w hrabstwie Alameda, należące do aglomeracji San Francisco, znajduje się na wschodnim brzegu zatoki. Miejscowość znana jest z kampusu Uniwersytetu Kalifornijskiego (zabudowania uniwersyteckie z XIX w.). Czesław Miłosz pracował na Wydziale Slawistyki tego uniwersytetu w latach 1960–1981.

Brie-Comte-Robert

Miejscowość we Francji, w departamencie Seine-et-Marne, 30 km na południe od Paryża. Czesław Miłosz mieszkał tam z rodziną w wynajętym mieszkaniu w latach 1953–1956.

Caffè Greco

Słynna, zabytkowa włoska kawiarnia otwarta w 1760 r. przy ulicy Via dei Condotti w Rzymie, w której gościli m.in. Stendhal, Goethe, Byron, Ibsen czy Hans Christian Andersen, a także Polacy – Mickiewicz, Słowacki, Norwid, Sienkiewicz; dziś stanowi głównie atrakcję turystyczną.

Campo dei fiori

Plac, również targowy, w Rzymie (wł. *campo dei fiori* – pole kwiatów), znany z wykonania tu w 1600 r. egzekucji Giordana Bruna, czego pamiątką jest pomnik filozofa.

Columbia

Rzeka w Ameryce Północnej, mająca źródła w jeziorze Columbia (Góry Skaliste); płynąc przez Kanadę i USA, osiąga długość 2000 km, wpada do Pacyfiku.

Dolina Śmierci

Pas pustyni Mojave, w południowej części stanu Kalifornia, o długości 225 km; najgorętszy i najbardziej suchy rejon w Ameryce Północnej, a zarazem największe obniżenie obszaru obu Ameryk. W 1933 r. Dolina Śmierci ogłoszona została narodowym pomnikiem USA, a w 1994 parkiem narodowym.

Jaszuny

Litewskie miasteczko, położone na południe od Wilna, na skraju Puszczy Rudnickiej; historyczna siedziba rodów Radziwiłłów i Balińskich. Jaszuński pałac należał do najczęściej odwiedzanych rezydencji na Wileńszczyźnie (bywali tam m.in. Adam Mickiewicz, Juliusz Słowacki i bracia Śniadeccy) i mieścił niegdyś bogatą bibliotekę. Do 1939 r. na terenie Rzeczpospolitej Polskiej, obecnie w granicach Republiki Litewskiej.

Kauai

Amerykańska wyspa wulkaniczna o powierzchni 1,4 tys. km^2, geologiczna pierwsza wyspa Hawajów. Atrakcyjna turystycznie ze względu na malownicze strome klify i wodospady; jej najwyższy szczyt jest jednym z najwilgotniejszych miejsc na ziemi.

Krasnogruda

Polska wieś w województwie podlaskim, w gminie i powiecie Sejny, położona nad jeziorem Hołny. Tutejszy dworek to dawna siedziba Zygmunta Kunata, dziadka Czesława Miłosza od strony matki, przed II wojną światową własność ciotek poety, Janiny (Niny) Niementowskiej i Elżbiety (Gabrieli) Lipskiej. Miejsce często odwiedzane przez Miłosza, zwłaszcza w okresie wakacji. W dniu setnych urodzin Noblisty planowane jest otwarcie w Krasnogrudzie Międzynarodowego Centrum Dialogu.

Maryhill Museum of Art

Muzeum sztuki, usytuowane w pobliżu Maryhill w USA, założone przez przedsiębiorcę Samuela Hilla, otwarte w 1940 r.; gromadzi liczne dzieła sztuki, m.in. rzeźby Augusta Rodina. Wystawa stała poświęcona jest życiu założyciela.

Mittelbergheim

Miejscowość we Francji, w departamencie Bas-Rhin, w regionie Alzacja.

Opitołoki

Litewska wieś położona nad Niewiążą, w rejonie kiejdańskim, w okręgu kowieńskim, ok. 5 km na północny wschód od Kiejdan. Do miejscowego kościoła Czesław Miłosz jeździł na nabożeństwa ze swoimi dziadkami. Poeta mylnie uważał wówczas, że tu miał miejsce jego chrzest (zob. Świętobrość).

Index of Selected Place-Names

The Beinecke Library
The library of Yale University; one of the largest buildings in the world; it collects rare books and literary manuscripts (current holdings about half a million volumes and several million manuscripts); it has the world's largest and most important Miłosz collection.

Berkeley
City in Alameda County, California; part of the San Francisco municipal agglomeration, located on the east coast of San Francisco Bay; site of the campus of the University of California, Berkeley, which has buildings going back to the 19th century. Czesław Miłosz was a member of the staff in the University's Department of Slavic Languages and Literatures, 1960–1981.

Brie-Comte-Robert
Place in France, in the Department of Seine-et-Marne, 30 km south of Paris. Czesław Miłosz and his family lived in a rented flat here, 1953–1956.

Caffè Greco
A famous historic café on the Via dei Condotti in Rome, established in 1760; its patrons have included Stendhal, Goethe, Byron, Ibsen and Hans Christian Andersen, as well as Polish writers such as Mickiewicz, Słowacki, Norwid, and Sienkiewicz; today it is a major tourist attraction.

Campo dei Fiori
Square and street-market in Rome, Italy; its name means "field of flowers"; site of the execution of Giordano Bruno in 1600; the philosopher's monument stands here.

Columbia River
The largest river in the Northwest Pacific region of North America, flowing for 2,000 km across Canada and the USA; its source is in Lake Columbia in the Rocky Mountains and it drains into the Pacific Ocean.

Death Valley
A 225-km stretch of the Mojave Desert in southern California; the hottest and driest place in North America, and the lowest place in both North and South America. In 1933 Death Valley was declared a U.S. National Monument, and in 1994 it was redesignated a National Park.

Jaszuny (Lihuanian Jašiūnai)
Town in Lithuania north of Vilnius, on the edge of the Rudnicka (Rūdninkų) Forest; historic seat of the Radziwiłł and Baliński families. The local country residence was a favourite with visitors, who included Adam Mickiewicz, Juliusz Słowacki, and the Śniadecki brothers. It once housed a large library collection. On the territory of the Republic of Poland until 1939; now on the territory of the Republic of Lithuania.

Kauai
One of the volcanic Hawaiian islands (USA), and geologically the oldest of the main islands in the archipelago, with an area of 1.4 thousand sq.km. Its steep cliffs and waterfalls make it a tourist attraction. Its highest peak is one of the wettest places in the world.

Krasnogruda
Village on the shore of Lake Hołny in the Powiat District of Sejny, Voivodeship of Podlasie (Podlassia), north-eastern Poland. The local 19th-century *dworek* country cottage was the home of Zygmunt Kunat, Miłosz's maternal grandfather. Before the Second World War it was the property of the poet's aunts, Janina (Nina) Niementowska and Elżbieta (Gabriela) Lipska. The International Centre for Dialogue is due to be opened in Krasnogruda on 30th June 2011, the centenary of the poet's birth.

Maryhill Museum of Art
Situated in Goldendale, Washington State, this art museum was founded by the entrepreneur Samuel Hill and opened in 1940. Its collection includes works by Auguste Rodin, and its permanent exhibition is dedicated to its founder.

Mittelbergheim
Place in France, in the Department of Bas-Rhin, Alsace.

Opitołoki (Lithuanian Apytalaukis)
Village in Lithuania on the River Nevėžis (Polish Niewiaża) in the Kėdainiai District Municipality, Kaunas Apskritis (County), about 5km north-east of Kėdainiai. Czesław Milosz and his grandparents used to attend services in the local church, which was once thought to have been the church where he was baptised (see Świętobrość).

Oregon

Jeden ze stanów USA (w zachodniej części kraju), na wybrzeżu Pacyfiku, graniczący ze stanami Kalifornia, Newada, Waszyngton i Idaho.

Pierson College

Jeden z dwunastu kolegiów mieszkalnych dla studentów (tzw. residential college) Uniwersytetu Yale. Nazwa wywodzi się od nazwiska pierwszego rektora Kolegium – ks. Abrahama Piersona.

Pornic

Miejscowość we Francji w Kraju Loary, położona nad Atlantykiem, historycznie należąca do Bretanii, której dzieje sięgają czasów starożytnych (megality z ok. 3500 r. p.n.e.), od blisko 200 lat znany ośrodek turystyczny. Główną atrakcję miasta stanowi zamek obronny (zwany zamkiem Sinobrodego) wzniesiony ok. roku 1100, przekształcony w XV stuleciu w ogromną fortecę.

Rocamadour

Miasteczko we Francji w regionie Midi-Pyrénées, zbudowane na skale, skąd jego nazwa – dosłownie „skała Amadoura". Jego powstanie wiąże się z legendą o pustelniku mieszkającym w grocie, który w zbudowanej przez siebie kaplicy miał umieścić posążek Matki Bożej. Po śmierci pustelnika miasto, leżące na szlaku do Composteli, stało się celem pielgrzymek.

Rogue River

Rzeka o długości ok. 345 km, przepływająca przez południowo-zachodnią część stanu Oregon w USA, wypływająca z Gór Kaskadowych i wpadająca do Pacyfiku.

Sacramento

Rzeka, o długości ok. 640 km, przepływająca przez północną część Stanów Zjednoczonych (stan Kalifornia), wypływająca z gór Klamath i wpadająca do jednej z odnóg zatoki San Francisco.

Salem

Miasto w USA, w stanie Massachusetts, znane z procesu czarownic, mającego miejsce w 1692 r. W Salem urodził się Nathaniel Hawthorne (1804–1864), wybitny przedstawiciel romantyzmu w literaturze amerykańskiej.

Szetejnie

Wieś na Litwie, leżąca na wschodnim brzegu Niewiaży, w powiecie kiejdańskim, ok. 70 km na północ od Kowna. Miejsce urodzenia i dzieciństwa Czesława Miłosza. W 1990 r., w obecności Noblisty, otworzono tutaj siedzibę Fundacji Miejsc Rodzinnych Czesława Miłosza, wzniesioną na fundamentach dawnego spichlerza należącego do dworu Miłoszów.

Świętobrość

Wieś na Litwie nad Niewiażą, w rejonie kiejdańskim, w okręgu kowieńskim, położona ok. 5 km na północny wschód od Kiejdan. Znajduje się tu kościół pw. Przemienienia Pańskiego, w którym w 1909 r. wzięli ślub rodzice Czesława Miłosza – Aleksander i Weronika, a w 1911 r. poeta przyjął chrzest. Na przykościelnym cmentarzu spoczywają jego dziadkowie.

Yale University (Uniwersytet w Yale)

Uczelnia założona w 1701 r. w mieście New Haven, w stanie Connecticut, trzeci najstarszy uniwersytet w USA i jeden z najbardziej prestiżowych w kraju.

Werki

Administracyjna dzielnica Wilna, leżąca na zachód od Antokolu, na północ od Śnipiszek, kiedyś odrębna miejscowość. Werki znane są przede wszystkim z klasycystycznego pałacu biskupów wileńskich oraz otwartej w 2004 r. najnowocześniejszej i największej w kraju hali widowiskowo-sportowej.

Wilno

Stolica Republiki Litewskiej (do 1939 na terenie Rzeczpospolitej Polskiej) leżąca w południowo-wschodniej części kraju; główny ośrodek gospodarczy, polityczny i kulturalno-naukowy, słynący ze wspaniałej zabytkowej architektury. W okresie romantyzmu ważny ośrodek kultury polskiej. W tym mieście Czesław Miłosz spędził swoją młodość.

Oregon

State in the Northwest of the USA, on the Pacific coast, bordering on California, Nevada, Washington, and Idaho.

Pierson College

One of the twelve residential colleges of Yale University. It is named after the Rev. Abraham Pierson, first rector of the Collegiate School which later became Yale University.

Pornic

A coastal commune in the Loire-Atlantique Department of western France, formerly part of Britanny. The history of Pornic goes back to ancient times; there are megaliths in the area dated to 3,500 BC. Pornic has been a tourist centre for nearly 200 years; its main attraction is the chateau, known as the Château de Barbe Bleue (Bluebeard's Castle) built ca. 1100 and converted in the 15th century into a huge fortress.

Rocamadour

Commune in the Midi-Pyrénées region of France, built on a rock. Its name means "Amadour's rock". According to legend Amadour was a hermit who lived in a nearby cave. He put a Black Madonna statue of Our Lady up in a chapel he had built. After his death the place became a pilgrimage centre on the road for Compostela.

Rogue River

A river in south-western Oregon; it is 345 km long, has its source in the Cascade Range and flows into the Pacific.

Sacramento River

A river in northern California; it is about 640 km long, has its source in the Klamath Mountains and drains into Suisun Bay, an arm of the Bay of San Francisco.

Salem

City in Essex County, Massachusetts, notorious for its 1692 witch trials. Birthplace of the American Romantic novelist Nathaniel Hawthorne (1804–1864).

Szetejnie (Lithuanian Šeteniai)

Village in Lithuania on the east bank of the Nevėžis about 70 km north of Kaunas; birthplace of Czesław Miłosz, where he spent his childhood. In 1990 a cultural centre named after him and built on the site of the old granary on his parents' property was officially opened in Milosz's presence.

Świętobrość (Lithuanian Šventybrastis)

Village in Lithuania on the Nevėžis about 5 km north-east of Kėdainiai. In 1909 Aleksander and Weronika, the parents of Czesław Milosz, were married in the local Church of the Transfiguration, and in 1911 the poet was baptised here. His grandparents are buried in the churchyard.

Yale University

Founded in 1701 in New Haven, Connecticut, the third oldest, and one of the most prestigious universities in the USA.

Werki (Lithuanian Verkių)

now an administrative district within Vilnius but once an autonomous place on the outskirts of the city, famous for its Neo-Classical Bishops' Palace and for the country's sports and entertainment centre, which opened in 2004.

Vilnius (Lithuanian) Wilno (Polish)

Vilnius is the capital city of Lithuania, situated in the south-east of the country, its main economic, political, cultural and academic centre, famous for its magnificent architectural heritage. In the Romantic Age an important centre for Polish culture. Until 1939 the city was on the territory of the Republic of Poland and the place where Czesław Miłosz spent his youth.

BOSZ

Wydawnictwo BOSZ
Olszanica, Polska, 2011

Biuro:
38-600 Lesko, ul. Przemysłowa 14
tel. +48 (13) 4699000
faks +48 (13) 4696188
biuro@bosz.com.pl
www.bosz.com.pl

Publisher BOSZ
Olszanica, Polska, 2011

Office:
38-600 Lesko, ul. Przemysłowa 14
tel. +48 (13) 4699000
faks +48 (13) 4696188
biuro@bosz.com.pl
www.bosz.com.pl